스페이드

틴 하드 /   스페이드   대실 해밋

틴 하드 / 스페이드 대실 해밋

스페이드에게 전화한 남자

새뮤얼 스페이드는 전화기를 옆으로 내려놓고 시계를 보았다. 아직 4시가 되지 않았다. 그가 불렀다. "유-후!" 에피 페린이 바깥 사무실에서 들어왔다. 그녀는 초콜릿 케이크를 먹고 있었다.

"시드 와이즈한테 오후 약속 못 지킨다고 전해 줘." 그가 말했다.

에피 페린은 남은 케이크를 입에 넣고 검지와 엄지 끝을 핥았다. "이번 주만 3번짼데."

스페이드가 웃자 그의 턱과 입, 그리고 눈썹의 V 모양이 더 길게 도드라졌다. "알아, 하지만 나가서 생명을 구해야지." 그는 턱으로 전화를 가리켰다. "누군가 맥스 블리스를 위협하고 있대."

에피 페린이 소리 내 웃었다. "그 누군가 이름이 혹시 '양심의 가책' 아닌가요?"

스페이드는 담배를 말기 시작하다가 그녀를 올려보았다. "그 사람에 대해 뭐 아는 거 있어?"

"당신도 아는 거 말곤 없어요. 그 사람이 자기 동생을 샌 쿠엔틴 교도소에 보냈던 게 생각나서요."

스페이드가 어깨를 으쓱했다. "그게 그 사람이 한 일 중에 최악은 아니었지." 그는 담배에 불을 붙이고, 일어나, 모자 쪽으로 손을 뻗었다. "하지만 이제 괜찮을 거야. 새뮤얼 스페이드의 고객은 모두 정직하거든. 신을 두려워할 줄 아는 사람들이지. 퇴근 시간까지 돌아오지 않으면 그냥 가."

스페이드는 놉 힐에 있는 높은 아파트로 가 10K라고

표시된 문의 초인종을 눌렀다. 구겨진 짙은색 옷을 입은,
건장하고 피부색이 짙은 남자가 바로 문을 열었다. 그는
머리가 거의 벗어졌고, 한 손에 회색 모자를 들고 있었다.
건장한 남자가 말했다. "반갑군, 샘." 그는 웃었지만, 작은
두 눈의 기민함은 흔들리지 않았다. "여긴 무슨 일이야?"
스페이드가 말했다, "반갑네, 톰." 표정은 없었고,
목소리는 건조했다. "블리스 있나?"

"있지!" 톰이 두툼한 입술 양 끝을 끌어내리며 말했다.
"그건 걱정할 거 없어."

스페이드가 얼굴을 찡그렸다. "그래?"

한 남자가 톰 뒤로 현관에 나타났다. 스페이드와 톰보다
키는 작았지만, 단단한 체격이었다. 불그레한 각진 얼굴에
짧게 다듬은 희끗희끗한 콧수염이 있었다. 옷은 단정했다.
머리 뒤쪽에 검은 중산모를 걸치고 있었다.

스페이드는 톰의 어깨 너머로 그에게 인사를 건넸다.

"안녕하세요, 던디."

던디는 짧게 고개를 끄덕이고 문 쪽으로 다가왔다. 그의
푸른 눈은 매서웠고 의심을 품고 있었다.

"무슨 일이야?" 그가 톰에게 물었다.

"블-리-스, 맥-스," 스페이드가 천천히 말했다. "그 사람을
만나고 싶습니다. 그 사람도 나를 만나고 싶어 합니다.
됐습니까?"

톰은 웃었다. 던디는 웃지 않았다. 톰이 말했다. "둘 중
한 사람만 원하는 바를 이루겠군." 톰은 곁눈으로 던디를
힐끗 보고는 바로 웃음을 멈추었다. 던디의 심기가 불편해
보였다.

스페이드가 노려보았다. "그렇군." 그가 짜증스럽게
물었다. "죽었어? 아니면 누굴 죽인 건가?"

던디는 각진 얼굴을 홱 들어 스페이드를 보았고,
아랫입술로 단어 하나하나를 밀어내듯 말했다. "왜
그렇게 생각하지?"

스페이드가 대답했다. "아, 그렇죠! 블리스 씨 전화를
받고 와보니 문 앞에 살인수사팀 경찰들이 몇 있는데 그럼
그걸 보고, 아, 지금 카드 게임들 하시는데 내가 방해했네,
생각해야 했나 보군요."

"아, 그만해. 샘." 톰은 스페이드도 던디도 바라보지 않고
말했다. "그가 죽었어."

"살해당했나?"

톰이 천천히 고개를 끄덕였다. 이번에는 스페이드를 보며
말했다. "뭐 아는 거 있어?"

스페이드가 침착하고 단조롭게 대답했다. "그가 오후에
전화를 걸었어. 4시 5분 전쯤이었을 거야. 전화를 끊고
나서 시계를 봤을 때 4시 되기 1분 전이었거든. 누군가
자기를 노리고 있다고 했어. 내가 와줬으면 했지. 진짜로
위협이 목전에 닥친 것 같았어." 스페이드는 한 손으로
작은 손짓을 해 보였다. "자, 그래서 내가 여기로 왔지."

"누가 어떤 식의 위협을 했는지도 말했나?" 던디가
물었다.

스페이드는 고개를 저었다. "아니요. 누군가 자기를
죽이겠다고 했다는 말만 했어요. 그는 그 말을 믿었고, 내가
곧바로 가겠다고 했죠."

"그 사람이," 던디가 바로 말을 꺼냈다.

"그게 전부였습니다." 스페이드가 말했다. "그쪽에서
이야기해줄 만한 건 없습니까?"

던디가 퉁명스럽게 답했다. "들어와서 보게."

톰이 말했다. "가관이야."

세 사람은 현관을 가로질러 문을 지나 녹색과 담홍색으로
꾸며진 거실에 들어섰다. 문 옆에 있던 남자가 유리가
덮인 작은 탁자 가장자리에 흰 가루를 뿌리다 말고 인사를
건넸다. "안녕하세요, 샘."

스페이드가 고개를 끄덕이고 말했다. "잘 지내죠, 펠스?"

스페이드는 창가에 서서 이야기를 나누던 두 남자에게도
가볍게 고개를 숙였다. 죽은 남자는 입을 벌린 채 누워
있었다. 옷가지가 몇 개 벗겨져 있었다. 목이 부어올랐고
색이 짙었다. 입꼬리에 보이는 혀끝이 퍼렇게 부어 있었다.
드러난 가슴의 왼편에는 검은 잉크로 오각형 별이 그려져
있고, 가운데에 T자가 쓰여 있었다.

스페이드는 죽은 남자를 내려다보며, 조용히 서 있었다.
그러다가 물었다. "이렇게 발견된 거야?"

"그렇다고 할 수 있지." 톰이 말했다. "우리가 살짝 옮기긴
했어." 톰은 엄지손가락으로 탁자 위에 놓인 셔츠와 내의,
조끼, 코트를 가리켰다. "바닥에 흩어져 있었어."

스페이드는 턱을 문질렀다. 그의 황회색 눈동자가 꿈꾸는
듯했다. "그게 언제였어?"

톰이 말했다. "4시 20분에 알았어. 딸이 신고했지." 톰은
고개를 돌려 닫힌 문을 가리켰다. "딸과 이야기해볼 수
있을 거야."

"뭐 알아낸 거 있어?"

"없어." 톰이 지친 듯 말했다. "아직은 좀 힘들어하는 것
같아서." 그러고는 던디를 돌아보았다. "다시 한번
이야기해볼까요?"

던디가 끄덕이고는 창가에 있던 남자 중 한 사람에게
말했다. "서류를 샅샅이 뒤져봐, 맥. 위협을 받고
있었던 거 같아."

"알겠습니다." 맥은 모자를 눈까지 내려쓰고 방 반대편
끝에 놓인 초록색 책상 쪽으로 걸어갔다.

복도에서 허연 얼굴에 주름이 깊고, 챙이 넓은 검은
모자를 쓴 커다란 50대 남자가 들어왔다. 그가 인사했다.
"안녕한가, 샘." 이어 던디에게 말했다. "2시 반 정도에
손님이 와서 1시간 정도 있었다고 합니다. 갈색 옷을 입은
덩치 큰 금발 남자고, 40에서 45살 정도 같습니다. 이름은
밝히지 않았고요. 그 사람이 오갈 때 엘리베이터에 태운
필리핀 아이한테 들었습니다."

"1시간만 있었던 게 확실한가?"

허연 얼굴의 남자는 고개를 저었다. "하지만 3시 반
전에 간 건 확실하다고 했습니다. 석간신문이 그때쯤
오는데, 신문이 오기 전에 엘리베이터를 타고 내려갔다고
합니다." 그는 모자를 살짝 뒤로 밀어 머리를 긁고는,
굵은 손가락으로 죽은 남자의 가슴에 잉크로 그려진
모양을 가리키며 안타까운 듯 물었다. "저건 도대체 무슨
의미일까요?"

아무도 대답하지 않았다. 던디가 물었다. "엘리베이터
소년이 그 사람을 확인해줄 수 있겠나?"

"그렇다고 했는데, 잘은 모르겠습니다. 처음 본

사람이라고 했거든요."그는 죽은 남자에서 시선을
돌렸다. "딸이 전화 송신 목록을 준다고 했습니다.
잘 지냈어, 샘?"

스페이드는 잘 지냈다고 대답했다. 이어 천천히 말을
꺼냈다. "이 자의 남동생이 덩치 큰 금발에 40에서 45살
정도일 겁니다."

던디의 푸른 눈이 매섭게 빛났다. "그래서?"

"그레이스톤 대출 사기 사건 기억하실 겁니다. 형제가
둘 다 휘말렸지만, 형 맥스가 동생 시어도어에게 혐의를
넘겼고, 시어도어는 14년 동안 샌 쿠엔틴 교도소에 있어야
했죠."

던디는 천천히 고개를 위아래로 끄덕였다. "이제
기억나는군. 동생은 지금 어디 있지?"

스페이드는 어깨를 으쓱하고, 담배를 말기 시작했다.

던디는 팔꿈치로 톰을 찔렀다. "알아봐."

"알겠습니다. 하지만 동생이 3시 반에 갔고, 이 사람이 4시
5분 전까지 살아 있었다면,"

"다리라도 부러진 게 아니면 다시 들렀을 수 있지."
허연 얼굴의 남자가 유쾌하게 말했다.

"알아봐."던디가 다시 한번 말했다.

톰이 말했다. "예, 예. 알겠어요."그러고는 전화가 있는
쪽으로 갔다.

던디가 허연 얼굴의 남자에게 말했다. "신문을 확인해봐.
오늘 오후에 정확히 언제 배달됐는지."

허연 얼굴의 남자는 고개를 끄덕이고 방에서 나갔다.

책상을 살펴보던 남자가 말했다. "으흠,"그는 한 손에는

봉투, 다른 손에는 종이 한 장을 들고 돌아섰다.

던디가 손을 뻗었다. "뭐야?"

"으흠," 남자는 다시 소리를 내며 던디에게 종이를
건넸다. 스페이드는 던디의 어깨 너머로 종이를 보았다.
작게 자른 평범한 흰 종이에, 단정하고 큰 특징 없는
손글씨가 연필로 적혀 있었다.

> 이 편지가 도착했다는 건
>
> 네가 더는 도망칠 수 없을 만큼
>
> 내가 가까이 왔다는 거야.
>
> 우리는 이제 공평해질 거야.
>
> 완벽하게.

죽은 남자의 왼쪽 가슴에 있던 모양과 같은 T를 둘러싼
오각형 별로 서명이 되어 있었다. 던디는 다시 손을 뻗어
봉투를 건네받았다. 프랑스에서 찍힌 소인이었다. 주소는
타자기로 입력되어 있었다.

> 맥스 블리스 귀하
>
> 암스테르담 아파트,
>
> 샌프란시스코, 캘리포니아.
>
> 미국

"파리에서 소인이 찍혔어." 던디가 말했다. "이번 달
2일에." 던디는 서둘러 손꼽아 세어보았다. "그럼 오늘
도착하는 게 맞군. 그래." 그는 천천히 종이를 접어 봉투에

넣고, 봉투를 코트 주머니에 넣었다. "계속 찾아봐."

던디가 편지를 발견한 남자에게 말했다. 남자는 고개를

끄덕이고 책상으로 돌아갔다.

던디가 스페이드를 바라봤다. "어떻게 생각하나?"

스페이드의 갈색 담배가 그의 말과 함께 위아래로

흔들렸다. "별로예요. 정말 별로."

톰이 전화를 끊었다. "지난달 15일에 출소했답니다."

그가 말했다. "지금 어디 있는지 알아보라고 해뒀어요."

스페이드는 전화기로 가서, 번호를 누르고, 대릴 씨를

찾았다. "여보세요. 해리, 샘 스페이드인데, 잘 지내지.

릴은 어때? 응, 그, 해리, 가운데 대문자 T가 있는 오각형

별이 무슨 뜻이야? 응? 철자가 어떻게 돼? 아, 알겠어, 그게

몸에 있으면? 나도 모르겠네, 어, 고마워. 다음에 보면

이야기해줄게. 어, 연락 줘, 고마워. 끊을게."

던디와 톰은 전화를 끊고 돌아오는 스페이드를 뚫어지게

쳐다보았다. 스페이드가 말했다. "아는 게

많은 친구라서요. 그리스어 알파벳 T가 가운데

있는 별 모양인데, 마술사들이 쓰던 상징이랍니다.

장미십자회에서는 지금도 사용할 거라는군요."

"장미십자회가 뭐야?" 톰이 물었다.

"시어도어(Theodore)의 이름 첫 글자일 수도 있어."

던디가 말했다.

스페이드가 어깨를 으쓱하며 무심하게 말했다.

"뭐, 그렇긴 한데, 자기가 한 일인 걸 티 내고 싶었다면

이름 전체를 남겨놓는 게 더 쉬웠겠죠."

스페이드는 조금 더 진지하게 말을 이었다. "새너제이와

18

포인트 로마에 장미십자회원들이 있어요. 그쪽에 너무
힘을 쏟고 싶진 않지만, 한번 찾아보긴 해야 할 것 같군요."
던디가 끄덕였다.

스페이드가 탁자 위에 있는 죽은 남자의 옷가지들을
바라보았다. "주머니에서 나온 건 없어요?"

"뻔한 것들만 있었네." 던디가 대답했다.

"탁자 위에 있어."

스페이드가 탁자로 가 옷가지 옆에 낮게 쌓인 시계와
시곗줄, 열쇠, 지갑, 주소록, 돈, 금색 연필, 손수건,
안경집을 살펴보았다. 그는 물건에는 손 대지 않았지만,
죽은 남자의 셔츠와 내의, 조끼, 코트를 하나씩, 천천히
들어 올렸다. 옷가지 밑에 파란색 넥타이가 놓여 있었다.
그는 짜증스럽게 넥타이를 노려보았다. "이건 맨 적이
없는 새 넥타이인데." 그가 불만스럽게 말했다.

던디와 톰, 창가에 서서 상황을 조용히 지켜보던 짙은
피부색에 갸름하고 지적인 얼굴의 체구가 작은 검시관
대리인까지 모두 모여 주름 하나 없는 파란색 실크
넥타이를 들여다보았다.

톰이 괴로운 신음을 냈다. 던디는 낮은 목소리로 욕을
내뱉었다. 스페이드는 뒷면을 보려고 넥타이를 들어
올렸다. 런던 남성복점의 상표였다. 스페이드가 쾌활하게
말했다. "대단한데요. 샌프란시스코에 포인트 로마,
새너제이, 파리, 런던까지."

던디가 스페이드를 노려보았다.

허연 얼굴의 남자가 들어왔다. "신문은 3시 반에
도착했다고 합니다." 그의 눈이 살짝 커졌다.

"무슨 일이죠?" 그는 방을 가로질러 다가오며 말했다.

"금발의 남자가 몰래 다시 들어오는 걸 본 사람은 없는 것 같습니다." 그는 이해할 수 없다는 듯 넥타이를 바라보았다. "새 넥타이였어." 톰이 성난 목소리로 말하자 그가 낮게 휘파람을 불었다.

던디가 스페이드를 바라보았다. "도대체 이게 다 뭐지." 그러고는 씁쓸하게 말했다. "형을 미워할 만한 이유가 있는 동생이 있다, 그 동생이 이제 막 교도소에서 나왔다, 동생처럼 생긴 사람이 3시 반에 여기서 나갔다, 25분 후에 형이 자네한테 전화를 걸어 위협을 받고 있다고 말했다, 그리고 30분 안에 딸이 와서 아빠가 죽은 걸 발견했다, 목이 졸려 죽었다," 던디는 작은 체구에 피부색이 짙은 남자의 가슴팍을 손가락으로 살짝 찔렀다. "맞지?"

"목이 졸려 죽었습니다." 피부색이 짙은 남자가 정확히 말했다. "남자가 조른 겁니다. 손이 커요."

"좋아." 던디는 다시 스페이드를 바라봤다. "우리는 위협이 담긴 편지를 발견했어. 아마도 맥스가 자네에게 이야기하려던 것이겠지. 어쩌면 시어도어가 맥스한테 쓴 협박 편지일지도 몰라. 추측은 그만두자고. 우리가 알고 있는 사실에 집중해야지. 이 사람은,"

책상을 살펴보던 남자가 돌아서서 말했다.

"하나 더 찾았습니다." 약간 우쭐한 표정이었다.

탁자에 모여 있던 다섯 사람의 눈이 하나같이 냉담하게 그를 바라보았다. 그는 사람들의 반감에 아랑곳하지 않고, 편지를 큰 소리로 읽었다.

"블리스에게, 내 돈을 돌려달라고 말하는 마지막 편지야.

다음 달 1일까지는 전부 보내. 그러지 않는다면 나도 손을
쓴다. 내가 무슨 말 하는지 알아야 할 거야. 농담이라고
생각 마. 그럼 이만. 대니얼 톨벗(Talbot)."

그가 씩 웃었다. "새로운 T가 나왔군요." 봉투도 집어
들었다. "소인은 샌디에이고에서 지난달 25일에
찍혔습니다." 그가 다시 씩 웃었다. "새로운 도시도
나왔네요."

스페이드가 고개를 저었다. "포인트 로마가 그
아래쪽에 있죠."

스페이드는 던디와 함께 편지를 살펴보러 갔다. 질 좋은
흰 편지지에 봉투의 주소와 마찬가지로 읽기 힘든 각진
손글씨가 푸른 잉크로 쓰여 있었다. 조금 전 발견된 연필로
쓴 편지와 비슷한 점은 전혀 눈에 띄지 않았다.

스페이드가 비꼬며 말했다. "방향이 좀 보이는 것
같은데요."

던디가 초조한 손짓을 했다. "알고 있는 것에
집중하자고." 던디는 낮은 목소리로 성을 냈다.

"좋아요." 스페이드가 동의했다. "뭐에 집중하면 되죠?"
대답은 없었다.

스페이드가 주머니에서 담뱃잎과 종이를 꺼냈다.
"아까 누가 뭐, 딸하고 이야기해본다고 하지 않았어요?"

"그럴 거야." 던디가 획 돌아서더니 바닥에 있는
죽은 남자를 보고 갑자기 눈살을 찌푸렸다. 던디는
엄지손가락을 젖혀 작은 체구에 피부색이 짙은 남자를
가리켰다. "다 끝났나?"

"끝났습니다."

던디가 톰에게 퉁명스럽게 말했다. "치워." 던디는 허연
얼굴의 남자에게도 말했다. "딸하고 이야기가 끝나면
엘리베이터 소년들을 좀 보지."

던디는 톰이 스페이드에게 가리켰던 닫힌 문으로 다가가
문을 두드렸다. 조금 거친 여자 목소리가 안쪽에서 들렸다.
"무슨 일이시죠?"

"던디 경위입니다. 블리스 양과 이야기하고 싶습니다."
침묵이 흐른 뒤, 대답이 들렸다. "들어오세요."

던디가 문을 열자 스페이드도 그를 따라 검은색과 회색,
은색으로 꾸며진 방에 들어갔다. 딸이 누워 있는 침대
옆에 검은 옷에 흰 앞치마를 두른 체격이 크고 못생긴 중년
여자가 앉아 있었다.

딸은 팔꿈치를 베개 위에 올리고 뺨을 손으로 받치고서
체격이 크고 못생긴 여자를 보고 있었다. 딱 18살쯤
되어 보였다. 회색 정장을 입고 있었다. 머리는 짧은
금발이었고, 뚜렷한 이목구비의 얼굴은 두드러지게
대칭을 이루었다. 그녀는 방으로 들어오는 두 남자를
쳐다보지 않았다. 스페이드가 담배에 불을 붙이는
사이 던디는 체격이 큰 여자에게 말을 걸었다.

"후퍼 부인에게도 몇 가지 질문을 하고 싶은데요.
블리스 씨의 가정부시죠?"

여자가 말했다. "맞아요." 살짝 거친 목소리와 움푹 팬
회색 눈의 침착한 시선, 무릎에 올려둔 두 손의 크기와
평온함 모두에서 차분한 힘이 느껴졌다.

"알고 있는 걸 이야기해주시겠어요?"

"아무것도 모릅니다. 오늘 아침에 저는 오클랜드에서

조카의 장례식이 있어서 나가 있었고, 돌아와 보니
경위님과 다른 분들이 와 계셨고, 그게 전부예요."
던디는 고개를 끄덕이고 물었다. "어떻게 생각하세요?"
"어떻게 생각해야 할지 모르겠네요." 여자는 간단하게
대답했다.
"블리스 씨가 이런 일을 예상했다는 걸 몰랐나요?"
딸이 후퍼 부인을 바라보던 자세를 갑자기 바꾸었다.
그녀는 침대에 앉아 몹시 놀라 커다래진 눈으로 던디를
바라보며 물었다. "무슨 뜻이죠?"
"말한 그대로입니다. 블리스 씨는 위협을 받고
있었습니다. 스페이드 씨에게 전화해서," 던디는
고갯짓으로 스페이드를 가리켰다. "죽기 몇 분 전에
자신이 위협을 받고 있다고 말했습니다."
"하지만 누가," 딸이 말했다.
"우리가 묻고 싶은 게 그겁니다." 던디가 말했다.
"그 정도로 반감을 품을 사람이 누가 있죠?"
딸은 잔뜩 놀라 던디를 바라보았다. "그런 사람은 없,"
이번에는 스페이드가 말을 막았다. 그는 조금이나마 덜
잔인하게 들리도록 부드럽게 말했다. "있습니다." 딸이
자신을 바라보자 물었다. "위협에 관해서는 모르셨나요?"
딸은 머리를 세차게 좌우로 흔들었다.
스페이드는 후퍼 부인을 보았다. "당신은요?"
"몰랐어요."
스페이드는 다시 딸을 보며 물었다. "대니얼 톨벗을
아십니까?"
"아, 알아요. 어제 저녁을 먹으러 오셨어요."

23

"누구죠?"

"샌디에이고에 살고, 아빠랑 같이 사업을 한다는 것
말고는 아는 게 없어요. 어제 처음 봤어요."

"두 사람 사이는 어때 보였나요?"

딸은 살짝 찡그리며 천천히 답했다. "친해 보였어요."

던디가 물었다. "아버지는 어떤 사업을 했습니까?"

"금융인이셨어요."

"프로모터를 말하는 건가요?"

"네, 그렇게 부르기도 하는 것 같아요."

"톨벗은 어디에 묵고 있죠? 아니면 샌디에이고로
돌아갔나요?"

"몰라요."

"어떻게 생겼죠?"

딸은 다시 얼굴을 찡그리며 생각에 잠겼다. "체격이 크고,
붉은 얼굴에 머리가 하얗고, 콧수염도 하얘요."

"나이가 많나요?"

"아마 60쯤 될 거예요. 적어도 55살보다 많아요."

던디는 화장대 쟁반 위에 담배꽁초를 내려놓는
스페이드를 바라보다가 질문을 이어갔다. "삼촌을
본 지는 얼마나 됐습니까?"

딸의 얼굴이 붉어졌다. "시어도어 삼촌이요?"

던디가 끄덕였다.

"그게," 딸은 말을 꺼내고, 입술을 깨물었다. 곧 말을
이었다. "물론, 아시겠죠. 삼촌이 교도소에서 막 나왔을 때
이후로는 본 적이 없어요."

"여기로 왔나요?"

24

"네."

"아버지를 보러 온 거였나요?"

"당연하죠."

"두 사람의 관계는 어땠습니까?"

딸은 눈을 커다랗게 떴다. "두 분 다 감정을 드러내는 편은
아니에요. 하지만 형제잖아요. 삼촌이 다시 사업을
시작할 수 있게 아빠가 돈도 췄는걸요."

"그럼 사이가 좋았다는 건가요?"

"네." 그녀는 불필요한 질문이라는 듯 대답했다.

"삼촌은 어디 살고 있죠?"

"포스트 거리요." 그녀는 번지수도 불러주었다.

"그 뒤로는 보지 못했다는 거죠?"

"네. 삼촌이, 음, 교도소에 다녀온 걸 부끄러워해서,"
그녀는 한 손으로 손짓을 하며 말을 맺었다.

스페이드가 후퍼 부인에게 물었다. "그 후로 그 사람을
본 적이 있습니까?"

"아니요."

스페이드는 불만스럽게 입술을 오므리며 천천히 물었다.
"그 사람이 오늘 오후에 여기 왔었다는 걸 두 분 다
모르셨나요?"

"몰랐어요." 두 사람이 동시에 대답했다.

"어디서,"

누군가 문을 두드렸다.

던디가 말했다. "들어와."

톰이 문을 살짝 열고 고개만 내민 채 말했다. "동생이
왔습니다."

딸이 몸을 앞으로 숙이며 외쳤다. "오, 테드 삼촌!"

갈색 옷을 입은 덩치 큰 금발 남자가 톰 뒤에서 나타났다. 햇볕에 많이 그을려 또렷한 눈이 더 파래 보이고, 이도 더 하얘 보일 정도였다.

남자가 물었다. "무슨 일이야, 미리엄?"

"아빠가 돌아가셨어요." 딸이 울기 시작했다.

던디가 톰에게 끄덕이자 톰은 시어도어 블리스가 방으로 들어갈 수 있게 비켜섰다. 시어도어 블리스의 뒤에서 한 여자가 주저하며 천천히 들어왔다. 키가 크고, 금발이었으며, 많이 통통하지는 않은 체형의 20대 후반 여자였다. 호감을 주는 인상에, 상냥하고 총명해 보이는 얼굴이었다. 여자는 작은 갈색 모자를 쓰고 털 코트를 입고 있었다.

시어도어 블리스는 조카를 한쪽 팔로 안으며 이마에 키스했고, 침대 위 조카의 곁에 앉았다. "그래, 그래." 그가 어색하게 말했다. 미리엄 블리스는 눈물 어린 눈으로 금발의 여자를 잠시 바라보다가 말했다. "아, 안녕하세요, 앨리스 양."

금발의 여자가 말했다. "정말 너무나…,"

시어도어 블리스가 목을 가다듬고 말했다. "이제 블리스 부인이 되었단다. 우리 오늘 오후에 결혼했거든."

던디가 화난 얼굴로 스페이드를 바라보았다. 스페이드는 담배를 말며 웃음을 참는 듯했다.

잠시 놀라 말을 잃었던 미리엄 블리스가 말했다. "오, 정말 축하드려요."

"고마워요." 금발의 여자가 웅얼거리며 대답하는 동안

미리엄은 삼촌을 바라보며 그에게도 말했다. "축하해요, 삼촌."

시어도어 블리스는 조카의 어깨를 토닥이며 끌어안았다. 그는 스페이드와 던디를 의아하게 쳐다보았다.

"형이 오늘 오후에 죽었습니다." 던디가 말했다.

"살해당했죠."

블리스 부인의 숨이 턱 막혔다. 조카를 끌어안은 시어도어 블리스의 팔에 힘이 좀 더 들어갔지만, 그의 표정에는 아무 변화가 없었다. "살해요?" 그는 이해할 수 없다는 듯 되물었다.

"예." 던디는 코트 주머니에 손을 넣었다. "오후에 여기 오셨죠."

시어도어 블리스의 햇빛에 그은 얼굴에 살짝 창백함이 비쳤지만, 그는 충분히 침착하게 답했다. "맞습니다."

"얼마나 오래 계셨죠?"

"1시간 정도요. 2시 반쯤 여기에 왔고," 그는 아내를 돌아보았다. "내가 전화한 게 3시 반 정도였죠?"

블리스 부인이 말했다. "맞아요."

"네, 그리고 바로 여기서 나갔어요."

"형과 만나기로 약속이 되어 있었던 건가요?" 던디가 물었다.

"아니요. 사무실로 전화를 했는데," 그는 아내를 보며 끄덕였다. "형이 집에 들어갔다고 해서 왔습니다. 앨리스와 떠나기 전에 형을 만나고 싶었거든요. 물론 형이 결혼식에 와줬으면 했지만, 올 수 없었어요. 기다리는 사람이 있다고 했습니다. 여기 앉아서 이야기했는데

생각보다 길어져서, 앨리스에게 시청에서 만나자고
전화를 해야 했죠."

잠시 생각에 잠겨 멈춰 있다가, 던디가 물었다.

"몇 시였죠?"

"저희가 거기서 만난 시간이요?" 시어도어 블리스가
모르겠다는 듯 아내를 바라보자 그녀가 말했다. "딱
3시 45분이었어요." 그녀가 살짝 웃었다. "제가 먼저
도착해서 계속 시계를 보고 있었거든요."

시어도어 블리스가 대단히 신중하게 말을 이었다.

"결혼을 한 건 4시가 조금 지나서였습니다. 화이트필드
판사님 공판이 끝나기까지 10분 정도 기다려야 했고,
시작하는 데 또 몇 분 걸려서요. 확인해보세요. 1심법원
2관이었을 겁니다."

스페이드는 자리에서 빙빙 돌다 톰을 가리켰다.

"확인해보는 게 좋겠어."

톰이 말했다. "알겠네." 그러고는 문밖으로 나갔다.

"그런 거라면 문제없겠군요, 블리스 씨." 던디가 말했다.
"하지만 더 질문할 것들이 있습니다. 형이 기다리는
사람이 누구인지는 말했나요?"

"아니요."

"위협에 관해 이야기한 게 있습니까?"

"없어요. 형은 다른 사람에게 자기 이야기를 하는 사람이
아닙니다. 제게도 그렇고요. 형이 위협을 받고 있었나요?"
던디는 입술을 살짝 힘주어 다물었다. "형과 가까운
사이였나요?"

"그렇습니다, 친했는지 물어보시는 거라면."

"확실합니까?" 던디가 물었다. "두 사람 다 서로에게
아무런 원한이 없었던 게 확실해요?"

시어도어 블리스는 조카를 안고 있던 팔을 풀었다. 볕에
그은 얼굴이 점점 더 창백해져 노란빛이 돌았다. 그가
말했다. "여기 있는 모두가 제가 샌 쿠엔틴 교도소에
다녀온 걸 알고 있습니다. 그 이야기를 하고 싶으신 거라면
그냥 말하세요."

"맞습니다." 던디는 잠시 뜸을 들인 뒤, 이어 말했다.
"그래서요?"

시어도어 블리스가 자리에서 일어섰다. "그래서, 뭐가
궁금한 거죠?" 그는 조급하게 다그쳤다. "그 일 때문에
형에게 원한을 품었냐고요? 아니요. 왜 그래야 하죠?
둘 다 사건에 휘말렸어요. 형은 빠져나갈 수 있었지만
전 아니었죠. 형은 몰라도 저는 유죄가 확실했어요. 형이
저랑 같이 간다고 해서 저한테 좋을 건 하나도 없었습니다.
우리는 의논을 했고, 저 혼자 들어가고 형이 밖에서 일을
잘 정리하기로 했어요. 형은 그렇게 했습니다. 계좌를 보면
제가 샌 쿠엔틴에서 나오고 이틀 후에 형이 준 2만 5천
달러짜리 수표를 확인할 수 있을 거고, 국립 철강 공사의
주주 명단 담당자도 그때쯤 형 명의의 1,000주를
제 이름으로 옮겼다는 걸 확인해줄 겁니다."

시어도어 블리스는 미안하다는 듯 웃으며 다시 침대에
앉았다. "죄송합니다. 할 일을 하시는 건데."

던디는 사과를 무시했다. "대니얼 톨벗을 아십니까?"
던디가 물었다.

시어도어 블리스가 말했다. "아니요."

그의 부인이 대답했다. "제가 알아요. 그러니까, 본 적
있어요. 어제 사무실에 왔거든요."

던디는 블리스 부인을 위아래로 유심히 살펴보고 물었다.

"어떤 사무실이요?"

"저는 블리스 씨의 비서예요, 비서였죠. 그래서,"

"맥스 블리스의?"

"네. 어제 오후에 대니얼 톨벗이 맥스 블리스 씨를 보러
왔어요. 같은 사람이 맞다면요."

"무슨 일이 있었나요?"

블리스 부인은 남편을 쳐다보았고 남편이 말했다.

"아는 게 있다면 뭐든지 다 이야기해요."

그녀가 말했다. "별일은 없었어요. 처음엔 서로 화를 내는
것 같았는데, 나중에는 웃고 떠들면서 같이 나갔어요.
그리고 나가기 전에 블리스 씨가 저한테 전화해서 회계
담당자인 트래퍼에게 톨벗 씨 앞으로 수표를 발행하라고
했어요."

"발행했나요?"

"아, 네. 제가 가져다드렸어요. 7천 5백 얼마짜리였어요."

"수표를 왜 발행한 거죠?"

그녀는 고개를 저었다. "그건 몰라요."

"블리스 씨의 비서였다면," 던디가 강하게 말했다.
"톨벗 씨와 무슨 일로 만난 건지 대충은 알 수 있을
텐데요."

"하지만 몰라요." 그녀가 말했다. "그전까진 이름도
들어본 적 없었어요."

던디는 스페이드를 바라봤다. 스페이드의 얼굴은

무표정했다. 던디는 스페이드를 노려보고는 침대에 앉아 있는 시어도어 블리스에게 물었다. "오늘 마지막으로 형을 봤을 때 형이 어떤 넥타이를 하고 있었죠?"

시어도어 블리스는 눈을 깜빡이다가, 던디 뒤쪽 먼 곳을 응시하더니, 아예 눈을 감았다. 곧 눈을 뜨고 말했다.

"초록색에, 보면 알 수 있을 것 같습니다. 왜죠?"

블리스 부인이 말했다. "오늘 아침에 사무실에 매고 오신 넥타이에는 초록색 줄무늬가 얇게 사선으로 그려져 있었어요."

"넥타이는 어디에 보관하죠?" 던디가 가정부에게 물었다. 후퍼 부인이 일어서며 말했다. "침실 옷장에요. 보여드릴게요."

던디와 이제 막 결혼한 블리스 부부가 가정부를 따라 나갔다.

스페이드는 모자를 화장대 위에 올려두고, 미리엄 블리스에게 물었다. "언제쯤 외출했어요?" 그가 침대 발치에 앉았다.

"오늘요? 1시쯤이었어요. 1시에 점심 약속이 있었는데 조금 늦었고, 그다음엔 쇼핑을 했고, 그리고," 미리엄 블리스는 몸서리치며 말을 멈추었다.

"그리고 집에 온 게 언제였나요?" 스페이드의 목소리는 친절했고, 사무적이었다.

"아마 4시가 넘어서였을 거예요."

"그 후에는 어떻게 됐죠?"

"아, 아빠가 쓰러져 있었고, 전화를 했어요. 전화를 1층에 했는지, 경찰에 했는지 모르겠어요. 그다음에 뭘 했는지도

모르겠어요. 기절이나 발작을 했던 것 같은데, 그러고 나서
기억나는 건 경찰분들하고 후퍼 부인을 본 것뿐이에요."
이제 그녀는 스페이드를 똑바로 바라보고 있었다.
"병원에는 전화를 안 했죠?"
그녀는 다시 시선을 떨구었다. "네. 안 한 것 같아요."
"당연히 안 했겠죠. 아버지가 죽은 걸 알고 있었다면."
스페이드가 무심하게 말했다.
그녀는 아무 말도 하지 않았다.
"죽은 걸 알고 있었어요?"
그녀는 고개를 들어 그를 멍하니 쳐다보았다.
"아빠는 죽어 있었는걸요."
스페이드가 웃었다. "알죠. 그러니까 제 말은, 전화하기
전에 죽은 걸 확인했냐는 겁니다."
그녀가 한 손으로 목을 감쌌다. "제가 뭘 했는지 기억이
안 나요."그녀는 진심으로 말했다. "아빠가 죽었다는 걸
그냥 알았던 것 같아요."
스페이드는 알겠다는 듯 끄덕였다. "경찰에 전화를 한 건
아버지가 살해당했다는 걸 알았기 때문이겠죠."
그녀는 두 손을 모으고 손을 바라보며 말했다.
"그런 것 같아요. 끔찍했어요. 무슨 생각을 했는지,
뭘 했는지 모르겠어요."
스페이드는 몸을 앞으로 굽혀 낮고 설득력 있는 목소리로
말했다. "저는 형사가 아닙니다, 블리스 양. 아버지에게
고용된 사람이에요. 몇 분 차이로 그를 구하지는 못했지만.
어떻게 보면 이제는 당신을 위해 일하는 거니까 경찰이
도와주지 않을 만한 일이라도 있으면 뭐든," 스페이드는

32

던디를 따라 블리스 부부와 가정부가 방에 돌아오자 말을 멈추고, 물었다. "뭐라도 찾았습니까?"

던디가 말했다. "초록색 넥타이는 없었어." 던디는 의심스러운 눈초리를 스페이드와 딸에게 차례로 던졌다. "후퍼 부인 말로는 우리가 찾은 파란색 넥타이가 이제 막 런던에서 온 6개 중 하나라는군."

시어도어 블리스가 물었다. "넥타이가 왜 중요한 거죠?"

던디가 그를 쏘아보았다. "발견되었을 때 옷 일부가 벗겨져 있었습니다. 그 옷가지들과 함께 있던 넥타이는 한 번도 매지 않은 새것이었죠."

"살인범이 들어왔을 때 옷을 갈아입던 중이었고, 다 입기 전에 살해당한 걸 수도 있지 않나요?"

던디는 그를 더 강하게 쏘아보았다. "네, 그럼 초록색 넥타이는 어떻게 한 걸까요? 먹어 없앴을까요?"

스페이드가 말했다. "옷을 갈아입던 중은 아니었습니다. 셔츠 깃을 보면 목이 졸렸을 때 이미 옷을 입은 채였다는 걸 알 수 있어요."

톰이 문으로 들어왔다. "확인됐습니다." 톰이 던디에게 말했다. "판사와 키트레지라는 이름의 집행관이 4시 15분 전쯤부터 4시 5분 또는 10분 정도까지 두 사람이 거기 있었다고 했습니다. 키트레지에게 여기 와서 두 사람을 보고 같은 사람인지 확인해달라고 해뒀습니다."

"알겠어." 던디는 고개를 돌리지 않고 대답하고는, 주머니에서 가운데 T가 있는 오각형 별을 연필로 서명한 협박 편지를 꺼냈다. 그는 서명만 보이도록 종이를 접었다. 그러고는 물었다. "이게 뭔지 아는 사람 있습니까?"

미리엄 블리스도 침대에서 내려와 다 함께 서명을
살펴보았다. 그러고는 서로를 멍하니 바라봤다.

"아는 거 있는 사람 없습니까?" 던디가 물었다.

후퍼 부인이 말했다. "가엾은 블리스 씨의 가슴에 있던
모양 같은데,"

다른 사람들은 모른다고 대답했다.

"전에 이런 모양 본 적 없어요?"

모두 없다고 대답했다.

던디가 말했다. "알겠습니다. 여기 계세요. 더 질문할 게
있을 수 있습니다."

스페이드가 말했다. "잠시만요. 시어도어 씨, 아내와는
얼마나 알고 지내셨죠?"

시어도어 블리스가 의아하다는 듯 스페이드를
바라보았다. "교도소에서 나왔을 때부터입니다."
그는 다소 조심스럽게 대답했다. "왜 물어보시죠?"

"지난달부터군." 스페이드는 혼잣말하듯 말했다.

"형을 통해 알게 된 건가요?"

"그렇죠. 형 사무실에서요. 왜요?"

"그럼 오늘 오후 시청에서는 두 분이 계속 같이
계셨나요?"

"네, 그럼요." 시어도어 블리스가 날카롭게 말했다.
"무슨 말이 하고 싶으신 거죠?"

스페이드는 그에게 웃어 보였다. 친근한 미소였다.

"제 할 일을 하는 겁니다."

시어도어 블리스도 웃어 보였다. "그렇죠." 그러고는 더
활짝 웃었다. "사실 제가 거짓말을 했습니다. 계속 같이

있지는 않았어요. 복도에 나가 담배를 피웠거든요. 하지만 분명히 말씀드릴 수 있습니다. 법정 출입문의 유리창으로 볼 때마다 아내는 그 자리에 앉아 있었습니다."

스페이드가 시어도어 블리스만큼 환히 웃었다. 하지만 질문을 이어 갔다. "유리창을 들여다보지 않아도 출입문을 볼 수 있는 자리에는 있었던 거죠? 부인이 당신 모르게 밖으로 나올 수는 없었겠군요?"

시어도어 블리스의 웃음이 가셨다. "물론 그렇습니다." 그가 말했다. "저도 5분도 안 돼서 다시 들어갔고요."

스페이드가 말했다. "감사합니다." 그러고는 던디를 따라 거실로 가며 문을 닫았다. 던디가 곁눈으로 스페이드를 보았다. "뭐라도 찾았나?"

스페이드가 어깨를 으쓱했다.

맥스 블리스의 시체는 치워져 있었다. 거실에는 책상을 조사하던 남자와 허연 얼굴의 남자뿐 아니라 진한 자줏빛 유니폼을 입은 두 필리핀 소년이 있었다. 두 소년은 소파에 붙어 앉아 있었다.

던디가 말했다. "맥, 초록색 넥타이를 찾아야겠어. 나올 때까지 이 집, 건물, 동네 전체를 샅샅이 뒤져. 필요한 사람 있으면 데려가고."

책상에 앉아 있던 남자가 일어나 말했다. "알겠습니다." 그는 모자를 눌러 쓰고 나갔다.

던디는 필리핀 소년들을 쏘아보았다. "갈색 옷을 입은 남자를 본 게 누구지?"

키가 작은 소년이 일어섰다. "저요."

던디는 침실 문을 열고 말했다. "블리스 씨."

시어도어 블리스가 문 쪽으로 다가왔다.

필리핀 소년의 얼굴이 밝아졌다. "맞아요.
저 아저씨예요."

던디는 시어도어 블리스의 코앞에서 문을 닫았다. "앉아."

소년이 재빠르게 자리에 앉았다.

던디가 침울한 얼굴로 소년들을 바라보았고, 소년들은
이내 꼼지락거리기 시작했다. "오늘 오후에 올려보낸
사람은 또 누가 있지?"

소년들이 똑같이 고개를 좌우로 흔들었다. "아무도
없었습니다." 키 작은 소년이 말했다. 어떻게든 환심을
사려는 미소로 소년의 입이 길게 늘어났다.

던디는 위협적으로 한 발자국 다가섰다. "헛소리!"
던디가 호통을 쳤다. "블리스 양을 올려보냈잖아."

키 큰 소년이 고개를 끄덕거렸다. "예, 맞습니다. 맞아요.
그분들도 올려보냈어요. 다른 사람을 말씀하시는 줄
알았어요." 키가 큰 소년이 웃어 보였다.

던디는 소년을 노려보았다. "내 말이 무슨 뜻인지
생각하지 말고 묻는 것에만 대답해. '그분들'이라니 누구를
말하는 거지?"

던디의 매서운 시선에 소년의 웃음이 사라졌다. 소년은
발 사이 바닥을 내려다보며 말했다. "블리스 양과 그
신사분이요."

"신사분이라니? 저 안에 있는 사람?" 던디는 시어도어
블리스의 면전에서 닫은 문을 턱으로 가리켰다.

"아니요. 다른 분이요. 우리 같은 미국 사람이

아니었어요." 소년은 고개를 들었고, 얼굴이 다시
밝아졌다. "제 생각엔 아르메니아인인 것 같아요."

"왜 그렇게 생각하지?"

"우리 미국 사람처럼 생기지 않았어요. 말하는 것도
다르고요."

스페이드가 웃으며 물었다. "아르메니아 사람을 본 적은
있고?"

"아니요. 그래서 그렇게 생각." 소년은 던디가 낮게 끙,
하는 소리를 내자 바로 입을 닫았다.

"어떻게 생겼어?"

소년은 어깨를 들어 올리고 두 손을 펼쳤다.

"이 신사분처럼 키가 크셨고요." 소년이 스페이드를
가리켰다. "머리색이 짙고, 콧수염도 짙었어요. 아주,"
소년은 강조하듯 얼굴을 찡그렸다. "아주 좋은 옷을 입은
아주 잘생긴 분이었어요. 지팡이에 장갑, 각반까지,"

"젊었나?"

소년이 고개를 다시 끄덕거렸다. "젊었어요. 네, 맞아요."

"언제쯤 나갔지?"

"5분 정도 있다가요."

던디는 무언가 씹는 것처럼 턱을 움직이다가 물었다.

"두 사람이 들어온 건 언제였나?"

소년은 다시 두 손을 펼치며 어깨를 들어 올렸다.

"4시, 아마 10분쯤이었던 것 같아요."

"우리가 도착하기 전에 올려보낸 사람은 없었고?"

필리핀 소년들은 다시 한번 똑같이 고개를 좌우로
흔들었다.

던디는 한쪽 입꼬리를 움직여 스페이드에게 말했다.

"딸을 불러오게."

스페이드는 침실 문을 열고 가볍게 고개를 숙인 뒤 말했다.

"잠시만 와주시겠습니까, 미리엄 양?"

"무슨 일이죠?" 미리엄 블리스가 경계하며 물었다.

"잠깐이면 됩니다." 스페이드가 문을 연 채로 말했다.
그러고는 갑자기 덧붙였다. "시어도어 씨도 함께
오시는 게 좋겠군요."

미리엄 블리스가 천천히 거실로 들어섰고, 그 뒤로 삼촌과
스페이드가 문을 닫고 따라왔다. 엘리베이터 소년들을 본
미리엄 블리스의 아랫입술이 살짝 떨리고 있었다. 그녀는
불안한 듯 던디를 바라보았다.

던디가 물었다. "어떤 남자와 함께 왔다는 건 도대체 무슨
소리죠?"

미리엄 블리스의 아랫입술이 다시 떨렸다. "무, 무슨?"
그녀는 애써 어리둥절한 표정을 지어 보였다. 시어도어
블리스는 황급히 방을 가로질러 할 말이 있는 듯 잠시
조카의 앞에 멈추어 섰지만, 이내 마음을 바꾼 듯 그녀의
뒤로 가 의자 등받이에 두 팔을 교차해 얹었다.

"집에 함께 왔다는 남자 말입니다." 던디가 빠르게
다그쳤다. "누구죠? 지금 어디 있습니까? 왜 나간 거죠? 왜
그 사람에 관해 얘기 안 했어요?"

미리엄 블리스는 두 손으로 얼굴을 가리고 울기 시작했다.
"그 사람은 이 일과 아무 상관없어요." 그녀는 손을
내리지 않고 흐느껴 울며 말했다. "그 사람이 그런 게
아니에요. 이러면 그 사람을 곤란하게 만들 뿐이에요."

"퍽이나 멋진 남자군요." 던디가 말했다. "신문에 이름이 나오지 않게 하려고 당신을 살해당한 아버지 옆에 두고 혼자 도망치다니."

미리엄 블리스는 얼굴에서 손을 뗐다. "하지만, 그래야만 했어요." 그녀가 소리쳤다. "그 사람 아내는 질투가 심해요. 또 저랑 같이 있었다는 걸 알게 되면 분명 이혼할 테고, 그 사람은 빈털터리가 되고 말 거예요."

던디가 스페이드를 바라봤다. 스페이드는 눈을 휘둥그레 뜨고 있는 필리핀 소년들에게 엄지손가락으로 출입문을 가리켜 보였다. "나가봐." 스페이드가 말했다. 소년들이 재빠르게 나갔다.

"그 대단한 남자는 누굽니까?" 던디가 물었다.

"하지만 그 사람은 아무 짓도,"

"누굽니까?"

미리엄 블리스의 어깨가 조금 처지고, 시선이 아래로 떨어졌다. "그 사람 이름은 보리스 스메칼로프예요." 그녀는 지친 듯 말했다.

"써주시죠."

그녀가 이름을 썼다.

"어디에 살죠?"

"세인트 마크 호텔이요."

"그 남자는 부자랑 결혼한 것 말고 다른 하는 일은 없습니까?"

고개를 든 미리엄 블리스의 얼굴에 분노가 스쳤지만, 곧 사라졌다. "하는 건 없어요."

던디는 허연 얼굴의 남자를 돌아보고 말했다. "데려와."

허연 얼굴의 남자는 불만스러운 소리를 내며 밖으로
나갔다.

던디는 다시 미리엄 블리스를 쳐다보았다.

"그 스메칼로프라는 사람과 서로 사랑하는 사이입니까?"

미리엄 블리스는 경멸하는 눈빛으로 던디를 바라볼 뿐
아무 말도 하지 않았다.

"이제 아버지가 죽었으니 그 사람이 아내와 이혼하더라도
당신이 그 사람에게 충분한 돈을 줄 수 있지 않나요?"

미리엄 블리스는 두 손으로 얼굴을 가렸다.

던디가 말했다. "이제 아버지가 죽었으니 그,"

조금 떨어져 있던 스페이드가 몸을 굽혀 쓰러지는 미리엄
블리스를 받쳤다. 스페이드는 그녀를 가뿐히 들어 올려
침실로 옮겼다. 다시 돌아온 스페이드는 닫고 들어온 문에
기대어 섰다. "다른 건 모르겠지만, 저 기절은 가짜예요."

"전부 다 가짜야." 던디가 화를 냈다.

스페이드가 놀리듯 씩 웃었다. "범인들이 자수하게
만드는 법이 있어야 할 텐데요."

시어도어 블리스가 미소를 지으며 창가에 있는 형의
책상에 앉았다. 던디가 못마땅해하며 스페이드에게
말했다. "자네는 걱정할 것 없지 않나. 심지어 의뢰인이
죽었으니 항의받을 일도 없고 말이야. 나는 해결하지
못하면 경감에, 국장에, 언론까지 아주 온갖 데서 깨질
거라고."

"기다려보세요." 스페이드가 달래듯 말했다.

"곧 살인범을 잡을 수 있을 겁니다." 스페이드의 표정은
그의 밝게 빛나는 황회색 눈만 빼고는 진지했다.

"이 일에 필요 이상으로 여러 길을 열어두고 싶지는
않지만, 가정부가 갔다는 장례식을 확인해봐야 하지
않을까요? 그 여자 뭔가 묘한 구석이 있어요."
던디는 잠시 미심쩍은 눈으로 스페이드를 바라보다가
고개를 끄덕이고 말했다. "톰이 알아볼 거야."
스페이드가 몸을 돌려 톰에게 손가락을 흔들어 보이며
말했다. "십중팔구 장례식은 없었을 거야. 확인해봐 줘.
속임수 하나도 놓쳐선 안 돼."
그러고는 침실 문을 열고 후퍼 부인을 불렀다. "폴하우스
경사가 물어볼 게 있답니다."

톰이 가정부가 알려주는 이름과 주소들을 적어 내려가는
동안, 스페이드는 소파에 앉아 담배를 말아 피웠고,
던디는 카펫을 노려보며 천천히 거실을 오갔다. 시어도어
블리스는 스페이드에게 물어본 뒤 일어나 아내가 있는
침실로 돌아갔다.
곧이어 톰은 수첩을 주머니에 집어넣고 가정부에게
말했다. "감사합니다." 그러고는 집을 나서며 스페이드와
던디에게 말했다. "곧 돌아올게요."
가정부는 그 자리에 그대로 못생기고, 건장하고, 조용하고,
차분하게 서 있었다. 소파에 앉아 있던 스페이드가 몸을
돌려 후퍼 부인의 움푹 팬 차분한 눈을 바라보았다.
"걱정하지 않으셔도 됩니다." 스페이드는 톰이 나간 문을
향해 한 손을 흔들며 말했다. "형식적인 겁니다." 그는
입을 뾰족하게 내밀었다가, 물었다.
"솔직하게 이 일을 어떻게 생각하시죠, 후퍼 부인?"

후퍼 부인은 굵직하고 약간은 거친 목소리로 조용히
대답했다. "신의 심판이겠죠."

던디가 바닥에서 시선을 뗐다.

스페이드가 말했다. "네?"

후퍼 부인의 목소리는 확고했고 흔들림이 없었다. "죄의
대가는 죽음입니다."

던디가 마치 사냥감을 보듯 후퍼 부인에게 다가가기
시작했다. 스페이드는 소파에 가려 후퍼 부인에게 보이지
않는 한쪽 손으로 던디에게 물러나라고 손짓했다.
스페이드의 얼굴과 목소리에 흥미가 묻어났지만, 그는
후퍼 부인만큼이나 차분하게 되물었다. "죄라니요?"

후퍼 부인이 말했다. "또 누구든지 나를 믿는 이 작은 자들
중 하나라도 실족하게 하면 차라리 연자맷돌이
그 목에 매여 바다에 던져지는 것이 나으리라." 그녀는
성경 구절을 인용하는 것이 아니라 정말 그렇게 믿는 듯이
말했다.

던디가 그녀에게 소리치듯 물었다. "작은 자들은
누구요?"

후퍼 부인은 무덤덤한 회색 눈으로 던디를 돌아보고는,
그 너머의 침실 문으로 시선을 옮겼다.

"저 아이." 그녀가 말했다. "미리엄이요."

던디가 그녀를 보며 눈살을 찌푸렸다. "블리스 씨의
딸이요?"

후퍼 부인이 대답했다. "네, 블리스 씨의 입양된 딸이죠."

던디의 각진 얼굴이 붉으락푸르락했다. "도대체 무슨
소립니까?"

던디가 따지고 들었다. 그는 달라붙은 무언가를
떨치기라도 하듯 고개를 흔들었다. "정말 친딸이
아닙니까?"

던디의 분노에도 그녀의 평온함은 전혀 흐트러지지
않았다. "네. 블리스의 씨의 부인은 항상 병약했어요.
두 사람에게는 아이가 없었습니다."

던디는 무언가 씹는 것처럼 턱을 움직이다가 조금
차분해진 목소리로 다시 물었다. "블리스 씨가 딸에게
무슨 짓을 한 거죠?"

"모릅니다." 그녀가 말했다. "하지만 저는 굳게 믿어요.
진실이 밝혀지면 미리엄의 아버지, 그러니까 친아버지가
딸에게 남긴 돈이,"

스페이드가 그녀의 말을 막았다. 그는 한 손으로 작은 원을
그리며 명확하게 말하려고 애를 썼다. "그러니까 맥스
블리스가 딸을 속인 건지 아닌지 정확히 모른다는 겁니까?
그냥 의심한 거라고요?"

그녀는 한 손을 왼쪽 가슴에 올렸다. "여기에서 알고
있어요." 평온하게 말했다.

던디가 스페이드를 바라보았고, 스페이드도 던디를
보았다. 스페이드의 눈이 즐겁다고는 할 수 없는 들뜸으로
빛났다. 던디가 목을 가다듬고 다시 후퍼 부인에게
물었다. "그러니까 당신은 이게," 던디는 죽은 남자가
누워 있던 바닥을 한 손으로 가리켰다. "신의 심판이라고
생각한다는 거죠?"

"맞습니다."

던디는 눈에서 교묘한 기색을 거의 드러내지 않고 말했다.

"누가 이런 짓을 했든 그저 신이 할 일을 했을 뿐이라는 겁니까?"

"그건 제가 말할 수 없어요."

던디의 얼굴이 다시 붉으락푸르락하기 시작했다.

"일단은 이 정도로 해두죠." 던디는 메이는 목소리로 말했지만, 후퍼 부인이 침실 문 가까이 가자 다시 눈을 번뜩이며 외쳤다. "잠시만요." 그러고는 그녀를 마주하고 물었다. "혹시 장미십자회원입니까?"

"저는 기독교인으로 살아갈 뿐입니다."

"그럼요, 그렇죠." 던디는 투덜대듯 말하고 등을 돌렸다. 후퍼 부인이 침실로 들어가며 문을 닫았다. 던디는 오른손바닥으로 이마를 닦아내며 지친 듯 불평했다.

"정말이지, 대단한 집안이군."

스페이드가 어깨를 으쓱했다. "기회 되시면 경위님 집안도 조사해보세요."

던디의 얼굴이 하얗게 질렸다. 던디는 색이 거의 없어진 입술을 악물었다. 주먹을 쥐고 스페이드에게 돌진했다.

"그게 무슨," 던디는 기분 좋게 놀란 듯한 스페이드의 얼굴을 보고는 움직임을 멈추었다. 던디는 눈을 피하고, 혀끝으로 입술에 침을 바르며 스페이드를 조금 떨어져서 다시 보았고, 이내 시선을 돌리며 당황한 듯한 웃음을 짓고 중얼거렸다. "보통 집안이 다 그렇다는 말이겠지. 그래, 그럴 거야." 던디는 초인종이 울리자 급히 복도 문 쪽으로 향했다. 재미있어하며 씰룩거리는 스페이드의 얼굴이 더더욱 금발의 악마처럼 보였다.

복도 문을 통해 조금 느리지만, 정감 있는 목소리가

들려왔다. "1심 법원의 짐 키트레지입니다. 여기로 오라고
하셔서요."

던디가 말했다. "네, 들어오시죠."

키트레지는 통통하고 불그레한 남자로 오래 입어
반질반질해진 꽉 끼는 옷을 입고 있었다. 남자는
스페이드에게 고개를 숙이고 말했다. "기억납니다,
스페이드 씨. 버크 해리스 소송이었죠."

스페이드가 말했다. "맞습니다." 그러고는 악수를 하려고
일어났다.

던디는 시어도어 블리스와 그의 부인을 부르러 침실에
가 있었다. "안녕하세요." 블리스 부부를 본 키트레지가
다정하게 미소지으며 말하고는 던디를 돌아보았다.
"두 분이 맞습니다, 네." 키트레지는 침 뱉을 곳을 찾는
듯 두리번거렸지만, 찾지 못하고 말을 이었다. "4시 10분
전쯤에 이 신사분께서 법정에 들어와 판사님을 언제 볼 수
있을지 물어보셨고, 제가 10분 정도 걸린다고 하자 거기서
기다리셨습니다. 그리고 4시에 휴정하자마자 그곳에서
결혼식을 진행했죠."

던디가 말했다. "감사합니다." 던디는 키트레지를 보내고,
블리스 부부도 침실로 돌려보내고는 불만스러운 듯
스페이드를 노려보며 말했다. "어때?"

스페이드는 다시 앉아 대답했다. "여기서 시청까지
절대 15분 안에는 못 가니까 판사를 기다리는 동안 다시
여기 들를 수는 없었을 테고, 결혼식이 끝나고 미리엄이
도착하기 전에 형을 죽이려고 서둘러 왔을 수도 없죠."

던디의 얼굴에 불만이 커졌다. 허연 얼굴의 남자가

키가 크고 호리호리하며 창백한 얼굴의 청년을 데리고
들어오자, 던디는 말을 하려다 말고 조용히 입을 닫았다.
청년은 필리핀 소년들이 설명한 미리엄 블리스와 함께 온
남자의 모습 그대로였다.

허연 얼굴의 남자가 말했다. "던디 경위님, 스페이드 씨.
보리스, 어—, 스메칼로프 씨입니다."

던디는 무뚝뚝하게 고개를 살짝 숙였다. 스메칼로프는
곧바로 말을 하기 시작했다. 발음이 어색하긴 했지만,
알아듣는 데 큰 어려움은 없는 억양이었다. "경위님,
비밀을 지켜주시기를 간곡히 부탁드립니다. 이게
밝혀지면 저는 망할 겁니다, 경위님. 완전히 억울하게
망하고 말 거예요. 저는 정말 결백해요. 맹세합니다.
제 마음과 영혼, 행동 모두 결백할 뿐 아니라 그 끔찍한
일과는 조금도, 어떤 식으로든 관련이 없습니다. 정말로,"

"잠깐만." 던디가 뭉툭한 손가락으로 스메칼로프의
가슴팍을 살짝 찔렀다. "아무도 당신이 이 일과 관련되어
있다는 말은 하지 않았습니다. 그렇지만 자리를 지키고
있는 편이 나았을 겁니다."

청년은 두 팔을 펼치고 손바닥을 앞으로 내밀며 과장된
몸짓을 해 보였다. "하지만 어쩌겠어요? 제 아내가," 그는
격하게 고개를 흔들었다. "안 됩니다. 그럴 수는 없어요."

허연 얼굴의 남자가 목소리를 충분히 낮추지 않은 채
스페이드에게 말했다. "얼빠진 러시아인들."

던디는 스메칼로프에게 시선을 고정하고 판결을 내리듯
말했다. "당신은 아마, 꽤 곤란한 상황을 스스로
만든 겁니다."

스메칼로프는 거의 울 것 같았다. "하지만 제 처지를 생각해보시면," 그는 애원했다. "경위님도,"

"그러지 않았을 겁니다." 던디는 냉담한 태도로 유감이라는 듯 말했다. "이 나라에서 살인은 가벼운 장난이 아닙니다."

"살인이라뇨! 하지만, 경위님, 제가 여기 휘말리게 된 건 정말 그냥 운이 좋지 않았기 때문입니다. 저는,"

"블리스 양과 여기 온 게 우연이었다는 말입니까?"

청년은 "그렇다"고 대답하고 싶은 듯 보였다. 하지만 천천히 "아니요"라고 말하고, 다시 속도를 높여 말했다. "하지만 아무 일도 없었어요. 정말 전혀요. 같이 점심을 먹었어요. 집까지 바래다주는데 블리스 양이, "칵테일 한잔할래요?"라고 해서 그러겠다고 했습니다. 그게 다예요. 정말 맹세합니다." 그는 두 손을 내밀며 손바닥을 보였다. "있을 수 있는 일이잖아요?" 그는 손의 방향을 바꾸어 스페이드에게 향했다. "그렇지 않아요?"

스페이드가 말했다. "제게는 많은 일이 일어납니다. 블리스 씨가 자기 딸이 당신과 어울려 다니는 걸 알고 있었습니까?"

"우리가 친구인 건 알고 있었어요."

"당신에게 아내가 있다는 것도 알았어요?"

스메칼로프는 조심스럽게 말했다. "그렇지는 않았을 겁니다."

던디가 말했다. "맥스가 모른다는 걸 알고 있었군."

스메칼로프는 입술에 침을 발랐지만, 경위의 말에 반박하지는 않았다.

던디가 물었다. "블리스 씨가 알았다면 어떻게 했을 것
같습니까?"

"모르겠습니다."

던디는 젊은이에게 가까이 다가가 이 사이로 내뱉듯
천천히 말했다. "블리스 씨가, 알고서, 어떻게 했습니까?"

청년은 겁먹고 하얗게 질린 얼굴로 한 걸음 물러섰다.

침실 문이 열리고 미리엄 블리스가 거실로 들어왔다.

"그 사람 좀 내버려 두세요!" 그녀가 화를 내며 소리쳤다.
"아무 상관 없는 사람이라고요. 이 일에 대해 아무것도
모른다고 했잖아요." 그녀는 스메칼로프의 옆으로 가
두 손으로 그의 한쪽 손을 잡았다. "아무 이유 없이 그저
이 사람을 괴롭히고 있는 거예요. 정말 미안해요, 보리스.
저 사람들이 당신을 곤란하게 하지 않으려고 애썼는데."

청년은 알아들을 수 없게 중얼거렸다.

"애썼죠, 그래요." 던디가 동의했다. 그러고는
스페이드에게 물었다. "이랬을 수도 있지 않나, 샘?
블리스 씨가 이 자의 아내에 대해 알게 되었고, 두 사람이
점심을 같이 먹는 걸 알고 일찍 집에 돌아와 기다린 거지.
두 사람이 오자 아내에게 말하겠다고 협박했고, 이들은
그걸 막기 위해 목을 졸랐다." 던디는 미리엄 블리스를
곁눈으로 보며 말했다. "자, 또 가짜로 기절하려거든
해보세요."

스메칼로프가 소리를 지르며 두 손을 들고 던디에게
덤벼들었다. 던디는 끙, 하는 소리를 내고는 청년의 얼굴에
강하게 주먹을 날렸다. 청년은 방 저편으로 밀려나다
의자에 부딪혔다. 그는 의자와 함께 바닥으로 쓰러졌다.

던디는 허연 얼굴의 남자에게 말했다. "서로 데려가. 참고인이야."

허연 얼굴의 남자가 "예이."라고 답하고는 스메칼로프의 모자를 챙겨 들고 다가가 그를 일으켜 세웠다.

미리엄 블리스가 열어둔 문 앞에 시어도어 블리스와 그의 부인, 가정부가 모여 있었다. 미리엄 블리스는 발을 구르고 울며 던디를 윽박질렀다. "내가 당신 신고할 거야. 비겁한 인간. 당신한테 이럴 권리가," 그녀는 계속 떠들었다. 사람들은 그녀를 개의치 않은 채 허연 얼굴의 남자가 스메칼로프를 일으켜 데리고 나가는 모습을 지켜보았다. 스메칼로프의 코와 입이 붉어져 있었다.

"쉿." 던디는 미리엄 블리스에게 태연하게 말하고는 주머니에서 종이 한 장을 꺼냈다. "오늘 이 집에서 건 전화 목록입니다. 아는 번호가 있으면 말하세요."

던디가 전화번호를 하나 불렀다.

후퍼 부인이 말했다. "정육점이에요. 아침에 나가기 전에 전화했어요."

던디가 다음 번호를 부르자 부인이 식료품점이라고 답했다.

던디가 또 다른 번호를 불렀다.

"세인트 마크요." 미리엄 블리스가 말했다. "보리스에게 전화했어요."

이어진 다음 번호 2개는 그녀가 친구들에게 건 것이라고 했다.

6번째 번호에 시어도어 블리스가 형의 사무실 번호라고 말했다. "제가 앨리스에게 만나자고 한 전화일 겁니다."

7번째 번호에 스페이드가 답했다. "내 번홉니다."
던디가 말했다. "마지막 8번째는 경찰 신고 전화고."
던디는 종이를 다시 주머니에 넣었다.
스페이드가 경쾌하게 말했다. "많은 걸 알게 되었군요."
초인종이 울렸다. 던디가 문으로 갔다. 던디와 다른 남자가
이야기를 나누었지만, 소리가 너무 낮아 거실에서는
알아들을 수 없었다.
전화가 울렸고, 스페이드가 받았다. "여보세요, 아니,
스페이드야. 잠시만, 알겠네." 그는 말없이 들었다.
"알겠어, 전달하지. 모르겠군. 전화하라고 할게, 알겠네."
전화를 끊고 돌아서자 던디가 뒷짐을 진 채, 문간에 떡 서
있었다. 스페이드가 말했다. "러시아인이 서에 가는 길에
정신을 완전히 놓았다고 오가르가 전화했네요. 구속복에
밀어 넣어야 했다는군요."
"진작 보냈어야 했어." 던디가 낮은 목소리로 성을 냈다.
"이쪽으로 오게."
스페이드는 던디를 따라 현관으로 나갔다. 바깥쪽 복도에
제복을 입은 경찰이 서 있었다. 던디가 뒷짐을 풀었다.
한 손에는 다른 색조의 초록색 줄무늬가 얇게 사선으로
그려진 넥타이가, 다른 손에는 작은 다이아몬드들이
박힌 초승달 모양 백금 넥타이핀이 있었다. 스페이드는
몸을 숙이고 넥타이 위에 불규칙하게 남은 얼룩 3개를
들여다보았다.
"피?"
"아닐 수도 있고." 던디가 말했다. "구석 쓰레기통 안
구겨진 신문지 속에서 찾았다는군."

"네, 그렇습니다." 제복을 입은 남자가 뿌듯해하며
말했다. "한데 뭉쳐져 있는 걸 보고 제가," 남자는 아무도
자신의 말을 듣지 않자 멈추었다.

"피인 게 낫겠는데요." 스페이드가 말했다.

"넥타이를 없앤 이유가 있을 테니까요. 들어가서
사람들이랑 얘기해보죠."

던디는 한쪽 주머니에 넥타이를 쑤셔 넣고, 다른 주머니에
넥타이핀을 쥔 손을 넣었다. "그래. 피인 걸로 하자고."

두 사람은 거실로 들어갔다. 던디는 마치 아무도 마음에
들지 않는다는 듯 시어도어 블리스부터 그의 부인, 조카,
그리고 가정부를 바라보았다. 던디는 주머니에서 주먹 쥔
손을 내어, 앞으로 곧게 내밀고는, 손바닥을 펴 초승달 모양
핀을 보여주었다. "이게 뭔지 아십니까?"

미리엄 블리스가 먼저 대답했다. "왜요, 이건 아빠
핀이에요."

"그래요?" 던디는 미심쩍다는 듯 말했다. "오늘도 이 핀을
꽂았나요?"

"늘 꽂고 계셨어요." 미리엄 블리스가 동의를 구하듯 다른
사람들을 돌아보았다.

블리스 부인이 말했다. "맞아요." 나머지도 고개를
끄덕였다.

"어디서 찾은 거죠?" 미리엄 블리스가 물었다.

던디는 마치 정말 싫다는 듯, 다시 한 사람 한 사람 차례로
살펴보았다. 던디의 얼굴이 붉었다. "늘 이걸 꽂고
있었다," 던디가 화를 내며 말했다. "그런데 당신들 중
누구도 '아빠는 늘 핀을 꽂고 있었는데, 어디 간 거죠?'라고

51

말하지 않았어. 이걸 찾아내고 나서야 당신들 입에서
이야기가 나오는군."

시어도어가 말했다. "공정하게 하세요. 이 상황에 그걸
어떻게 알아차려요?"

"당신이 알고 말고는 이제 됐습니다." 던디가 말했다.
"이제는 내가 아는 것을 이야기할 차례니까요." 던디는
주머니에서 초록색 넥타이를 꺼냈다. "블리스 씨 것이
맞습니까?"

후퍼 부인이 말했다. "네, 맞습니다."

던디가 말했다. "자, 여기 피가 묻어 있고, 블리스 씨 몸에
상처는 보이지 않았으니 그의 피가 아닙니다." 던디는
눈을 가늘게 뜨고 한 사람 한 사람 바라보았다.

"자, 생각들 해봐요. 넥타이핀을 한 남자의 목을 조르려고
몸싸움을 하다가,"

던디는 스페이드를 보고 말을 멈추었다. 스페이드가
후퍼 부인이 서 있는 자리로 건너갔다. 후퍼 부인은 몸
앞으로 커다란 두 손을 꼭 쥐고 있었다. 스페이드가 그녀의
오른손을 잡아 뒤집고는 손바닥에 뭉쳐 있던 손수건을
치우자, 긁힌 지 얼마 안 된 5cm 길이의 상처가 있었다.
후퍼 부인은 순순히 스페이드가 손을 살펴보게 두었다.
전혀 흔들리지 않고 평온한 표정이었다. 그녀는 아무 말도
하지 않았다.

"응?" 스페이드가 물었다.

"미리엄 양이 기절했을 때 침대에 눕히다가 핀에
긁혔습니다." 후퍼 부인이 차분하게 말했다.

던디의 웃음은 짧고 신랄했다. "그러나저러나 교수형일

겁니다.”

후퍼 부인의 표정에는 변함이 없었다. “주의 뜻대로
되겠죠.”

스페이드가 부인의 손을 내려놓으며 기이한 소리를 냈다.
“자, 상황을 좀 정리해보죠.”스페이드는 던디를 보며 씩
웃었다. “T가 있는 오각형 별 모양이 거슬리시죠?”

“전혀.”

“나도 그렇습니다. 툴벗의 협박은 사실이었던 것
같은데, 그 빚은 이미 정리가 된 것 같고요. 아, 잠시만요.”

스페이드는 전화기로 가 사무실에 전화를 걸었다.

“넥타이도 잠깐은 꽤 흥미로웠는데,”그는 수화기
너머에서 전화를 받기를 기다리며 말을 이어갔다. “그건
피 때문이었던 것 같군요.”

스페이드가 수화기에 대고 말했다. “여보세요. 에피,
들어 봐. 맥스가 나한테 전화한 그 시점에서, 30분 전후로
이상한 전화 받은 거 없어? 뭔가 억지 핑계 같은, 어, 그
전에, 어, 생각해봐.”

스페이드는 수화기를 손으로 가리고 던디에게 말했다.
“세상에는 나쁜 장난이 참 많죠.”

그는 다시 수화기에 대고 말했다. “응? 어, 크루거? 응.
남자야, 여자야? 고마워. 아니, 30분 정도면 갈 거야.
기다리면 저녁 살게. 끊어.”

스페이드가 돌아보았다. “맥스가 전화하기 30분
전쯤에 어떤 남자가 사무실로 전화를 걸어 크루거 씨를
찾았답니다.”

던디가 얼굴을 찌푸렸다. “그게 뭐?”

"크루거는 거기 없었죠."

던디는 얼굴을 더 세게 찌푸렸다. "크루거가 누군데?"

"나도 모르죠." 스페이드가 덤덤하게 말했다. "처음 들어요." 그는 주머니에서 담뱃잎과 담배 종이를 꺼냈다. "자, 시어도어, 상처 어딨죠?"

시어도어 블리스가 말했다. "뭐라고요?" 다른 이들은 멍하니 스페이드를 바라봤다. "상처요." 스페이드는 일부러 천천히 말했다. 그는 말고 있는 담배에 집중했다. "형 목을 조르면서 핀에 긁힌 상처요."

"미쳤어요?" 시어도어 블리스가 격하게 반응했다. "난,"

"워–, 형이 살해당했을 때 결혼식이 진행 중이었으니 당신은 아니라는 거죠." 스페이드는 담배 종이 끝에 침을 바르고, 검지로 문질러 붙였다.

이번에는 블리스 부인이 살짝 더듬으며 말했다. "하지만, 그가, 맥스 블리스가 전화를,"

"누가 맥스 블리스가 전화했다고 했습니까?" 스페이드가 물었다. "그건 모르죠. 전 그 사람 목소리도 모르는걸요. 제가 아는 건 한 남자가 전화를 했고, 자기가 맥스 블리스라고 말했다는 겁니다. 누구든 가능한 일이죠."

"하지만 통화 목록을 보면 여기에서 전화했잖아요." 블리스 부인이 의문을 제기했다. 스페이드는 머리를 가로저으며 씩 웃었다. "통화 목록에 여기서 건 전화를 제가 한 통 받았다고 돼 있고, 실제로 받았죠. 하지만, 그 전화는 자칭 맥스 블리스가 건 전화는 아닙니다. 맥스 블리스라고 주장하는 전화가 오기 30분 전쯤 누군가 전화를 걸어 크루거 씨를 찾았죠." 스페이드는 턱으로 시어도어 블리스를 가리키며 블리스 부인에게 말했다.
"당신을 만나러 가기 전에 여기서 내 사무실로 통화
기록을 남길 만큼 영악한 사람인 겁니다."
블리스 부인은 너무 놀라 어쩔 줄 모르는 파란 눈으로
스페이드를 보다가 남편을 바라보았다.
그녀의 남편이 태연하게 말했다 "말도 안 되는 소리야,
여보. 당신도,"
스페이드는 그가 말을 마치게 두지 않았다. "판사를
기다리는 동안 남편은 담배를 피우러 복도에 나갔죠.
남편은 복도에 전화가 있는 걸 알고 있었습니다. 아주
잠깐이면 되는 일이었죠." 스페이드는 담배에 불을
붙이고, 라이터를 다시 주머니에 넣었다.
시어도어 블리스가 말했다. "말도 안 돼!" 목소리가
날카로워졌다. "내가 왜 형을 죽이겠어?" 그는 겁에 질린
부인의 눈을 보며 안심시키려는 듯 웃어 보였다. "저런
이야기 듣지 마, 여보. 경찰이 때로는,"
"좋아요." 스페이드가 말했다. "그럼 상처를 찾아보죠."
시어도어 블리스는 몸을 돌려 스페이드와 정면으로
마주했다. "손대기만 해봐!" 그는 한 손을 뒤로 숨겼다.
스페이드가, 표정 없는 얼굴과 꿈꾸는 듯한 눈을 한 채,
한 발자국 다가섰다.

* * *

스페이드와 에피 페린은 텔레그래프 힐에 있는 줄리어스
캐슬의 작은 탁자 앞에 앉아 있었다. 두 사람 옆 창밖으로

페리가 도시의 빛을 싣고 만 저편을 오가는 모습이 보였다.
"… 죽이러 간 건 아니었을 거야." 스페이드가 말하고
있었다. "그냥 돈을 더 얻어내려고 했던 건데, 싸움이
시작됐고, 막상 목을 조르게 되니, 아마도, 감정이 너무
격해져서 형이 죽을 때까지 놓지 못했을 거야. 무슨
말인지 알지? 증거들이 말하고 있는 것들, 그의 아내한테
알아낸 것들, 그리고 많지는 않지만 시어도어한테 알아낸
사실들을, 나는 그냥 함께 모아보는 거야."
에피가 고개를 끄덕였다. "좋은, 충실한 아내네요."
스페이드는 커피를 마시고 어깨를 으쓱했다. "이제
아니겠지. 자신에게 접근한 이유가 단지 맥스 블리스의
비서였기 때문이란 걸 알게 되었으니. 몇 주 전에 결혼
허가증을 발급받은 것도 그레이스톤 대출 사기 사건과
맥스를 연관 지을 서류 사본을 받으려고 한 짓이지. 그녀는
이제 알아. 자기가 도운 일이 무고한 사람의 오명을
씻어주는 일이 아니었단 걸."

스페이드는 커피를 한 모금 더 마셨다. "시어도어
블리스는 오후에 형을 만나 자기가 샌 쿠엔틴 교도소에서
썩은 일을 내세워 돈을 더 뜯어내려고 하지. 싸움이 커져
형을 죽여버리고, 형 목을 조르면서 핀에 긁혀 손목에
상처가 난 거야. 넥타이 위의 피와 손목의 상처. 그대로
둘 수는 없어. 그는 시체에서 넥타이를 풀어내고 다른
넥타이를 찾아. 넥타이가 없으면 경찰이 의심스러워 할
테니까. 여기서 실수를 한 거지. 맥스의 새 넥타이들이
선반 앞쪽에 걸려 있고, 그는 손에 잡히는 첫 번째 넥타이를

고른 거야. 그렇지. 이제 시체의 목에 넥타이를 두르려고
하는데, 잠깐, 더 좋은 생각이 나. 다른 옷가지들도
벗겨놓으면 경찰이 혼란스러워하겠지. 셔츠도 벗겨
놓으면 넥타이가 없는 건 눈에 띄지도 않을 거야. 옷을
벗겨놓고 나니 또 다른 아이디어가 떠올라. 경찰에게
의심할 거리를 더 주려고 죽은 남자의 가슴팍에 어디서
본 적 있는 신비스러운 모양을 그려놓지.”

스페이드는 잔을 비운 뒤 내려놓고는 말을 이어갔다.
“이쯤 되니 경찰을 혼란스럽게 하는 데 아주 대단한
전문가가 된 거야. 맥스의 가슴에 그린 모양으로 서명한
협박 편지도 그래. 오후에 온 우편물들이 책상 위에
있었어. 나머지 우편물처럼 협박 편지 봉투에도 타자기로
친 주소가 쓰여 있어. 그 봉투에는 프랑스 소인까지 찍혀
있으니, 발신인 주소가 없었다면 좋았을 텐데, 그건 원래
편지를 빼고 협박 편지를 집어 넣었다는 말이지. 이제 점점
도를 넘기 시작하는 거야. 그렇지? 잘못된 증거가 너무
많이 보이니까 멀쩡한 것들을 의심할 수밖에 없었어. 예를
들면 전화가 그랬지.

자, 이제 알리바이가 될 전화를 걸 준비가 됐어.
전화번호부의 사립 탐정 목록에서 내 이름을 고르고,
크루거 씨 속임수를 쓴 거지. 하지만 그 전에 금발의
앨리스에게 전화를 해서 두 사람의 결혼에 걸림돌을
처리했을 뿐 아니라 뉴욕에서 사업 제안을 받아 바로
떠나야 한다며 15분 후에 만나 결혼식을 하자고 해. 단순히

알리바이만 목적이었던 게 아니야. 그 사람은 자기가 형을 죽이지 않았다는 걸 아내가 굳게 믿기를 원했어. 아내는 그가 형을 좋아하지 않는다는 걸 알고 있었고, 그는 자기가 형에 관한 정보를 캐내려고 속여왔다고 아내가 생각하는 게 싫었거든. 아내가 이런저런 이야기를 종합해서 무언가 정답을 찾아낼지도 모르고 말이야.

정리를 끝내고 자리를 떠날 준비가 됐어. 보란 듯이 나가지만, 아직 해결하지 못한 게 하나 있지. 주머니에 넥타이와 넥타이핀이 있어. 열심히 닦긴 했지만, 경찰이 보석 주변에 남아 있을지 모를 피를 찾을 수도 있으니까 넥타이핀도 같이 챙겼지. 나오는 길에 만난 신문 파는 아이에게 신문을 하나 사서 신문지에 넥타이와 넥타이핀을 구겨 넣고, 구석 쓰레기통 안에 던져 넣어. 문제없어 보여. 경찰이 넥타이를 찾을 이유도 없어. 청소부가 구겨진 신문지를 일일이 펴볼 이유도 없어. 혹시 만약 일이 잘못돼서 살인범이 버린 게 밝혀진다 한들, 알리바이가 있는 자기는 범인이 될 수 없으니까.

이제 차에 올라타 시청으로 향해. 그는 거기 전화가 많다는 것도 알고 있고, 언제든 손을 씻겠다며 전화 걸러 나갈 수 있지. 결과적으로는 그럴 필요도 없었지만. 판사 공판이 끝나기를 기다리는 동안 담배를 피우러 나가. 바로 거기서 나한테 전화한 거야. '스페이드 씨, 맥스 블리스입니다. 위협을 받고 있어요.'"

에피 페린이 고개를 끄덕이고 물었다. "왜 경찰이 아니라 사립 탐정을 고른 거죠?"

"안전하니까. 혹시 그사이에 시체가 발견됐다면 경찰은

전화를 추적했을 거야. 사립 탐정은 신문에서 읽기
전까지는 사건 소식을 바로 알기 어려우니까."
에피는 소리 내 웃고 말했다. "운이 좋았네요."
"운? 글쎄." 스페이드는 왼손 손등을 침울하게
바라보았다. "그 사람을 막다가 손도 다쳤고, 이 모든 일이
반나절 안에 끝나버렸는걸. 내가 합당한 비용을 청구하면
재산을 상속받을 누군가가 난리를 칠 거야." 그는 손을
들어 웨이터를 불렀다. "뭐, 다음번엔 운이 좋겠지.
영화라도 볼까, 아니면 생각한 거 있어?"

교수형은 한 번뿐

새뮤얼 스페이드가 말했다. "저는 로널드 에임스입니다. 비닛 씨를 만나러 왔습니다. 티머시 비닛 씨요."

"비닛 씨는 휴식 중이십니다." 집사가 머뭇거리며 대답했다.

"언제쯤 만날 수 있을지 알아봐 주시겠습니까? 중요한 일입니다." 스페이드는 목소리를 가다듬었다. "저는, 막 호주에서 돌아왔고, 그곳에 있는 비닛 씨의 재산과 관련된 일입니다."

집사는 "알아보겠습니다"라고 말을 끝마치기도 전에 휙 돌아서 앞쪽 계단에 올랐다.

스페이드는 담배를 말아 불을 붙였다.

집사가 다시 내려왔다. "죄송합니다. 지금은 뵙기 어렵습니다만, 티머시 씨의 조카인 월리스 비닛 씨가 만나보겠다고 하십니다."

"감사합니다." 스페이드는 집사를 따라 위층으로 올라갔다.

월리스 비닛은 호리호리하고 피부색이 짙은 잘생긴 남자로, 38살인 스페이드와 비슷한 나이로 보였다.

"안녕하세요, 에임스 씨?" 월리스는 고급 비단 소재의 의자에서 미소지으며 일어나 말했고, 손으로 다른 의자를 권하고는 다시 앉았다.

"호주에서 오셨다고요?"

"오늘 아침에 왔습니다."

"티머시 삼촌과 사업을 함께하시는 건가요?"

스페이드는 웃으며 고개를 저었다. "그건 아니지만, 비닛 씨가 알아야 할 소식이 있어서요, 빠르게."

월리스 비넷은 바닥을 바라보며 생각에 잠겼다가 고개를 들어 스페이드를 보았다. "만나보시라고 최대한 설득해볼게요, 에임스 씨, 하지만 솔직히, 잘될지는 모르겠네요."

스페이드는 살짝 놀라는 듯했다. "왜죠?"

월리스 비넷이 어깨를 으쓱했다. "가끔 좀 까다롭게 구시거든요. 이해해주세요. 정신은 아주 멀쩡하신데 몸이 아픈 노인이다 보니 좀 조급하고 엉뚱해서, 그게, 힘들 때가 있죠."

스페이드가 천천히 물었다. "이미 저를 보지 않겠다고 하신 건가요?"

"네."

스페이드가 의자에서 일어났다. 금발의 악마 같은 얼굴에는 아무 표정이 없었다.

월리스 비넷이 빠르게 손을 들어 올렸다. "잠시, 잠시만요. 제가 다시 이야기해볼게요. 혹시," 그의 짙은 눈동자에 갑자기 경계심이 비쳤다. "뭘 판매하러 오신 건 아니죠, 그렇죠?"

"아닙니다."

월리스 비넷의 눈에서 경계하는 눈빛이 걷혔다. "흠, 그럼, 제가 한 번,"

한 젊은 여성이 화난 목소리로 외치며 들어왔다. "월리, 저 늙은이가," 그녀는 스페이드를 보자마자 말을 멈추고 가슴에 손을 얹었다.

스페이드와 월리스 비넷이 함께 일어났다. 월리스 비넷이 온화하게 말했다. "조이스, 이쪽은 에임스 씨야. 제 처제

64

조이스 코트입니다."

스페이드가 고개 숙여 인사했다.

조이스 코트는 무안한 듯 짧게 웃음을 터뜨리고 말했다.
"정신없이 들이닥쳐서 실례했네요." 그녀는 키가 크고,
푸른 눈동자에, 피부색이 짙은 스물대여섯 살이었고,
튼튼한 어깨에 단단하고 날씬한 체격이었다. 균형미는
조금 부족했지만 따뜻함이 느껴지는 이목구비였다.
그녀는 통 넓은 파란색 새틴 파자마를 입고 있었다.

월리스 비넷은 그녀에게 부드럽게 웃으며 물었다. "무슨
일 있었어?"

분노는 그녀의 눈동자를 다시 어둡게 만들었고, 그녀는
이야기를 시작했다. 그러다 스페이드를 바라보고 말했다.
"하지만 이런 별것 아닌 집안일로 에임스 씨를 지루하게
할 순 없잖아. 혹시…," 그녀가 머뭇거렸다.

스페이드가 다시 고개를 숙였다. "그럼요, 얼마든지요."

"잠깐이면 될 겁니다." 월리스 비넷은 말을 남기고,
그녀와 함께 방에서 나갔다.

스페이드는 두 사람이 나가면서 열어놓은 문으로 다가가
서서 귀를 기울였다. 두 사람의 발소리가 점점 잦아들었다.
들리는 다른 소리도 전혀 없었다. 스페이드가 꿈꾸는 듯한
황회색 눈동자로 문가에서 있는 사이, 비명이 들렸다.
여성의, 공포에 질린 높고 날카로운 비명이었다. 문을
나서던 스페이드는 총성을 들었다. 권총이 발사되는
소리가 벽과 천장에 부딪혀 더욱 크게 울려 퍼졌다.

스페이드는 문에서 6m 거리의 계단을 발견하고, 한 번에
3칸씩 뛰어 올라갔다. 왼쪽으로 방향을 틀었다. 복도

중간쯤에 한 여자가 바닥에 등을 대고 쓰러져 있었다. 월리스 비넷이 곁에 무릎을 꿇고 앉아 여자의 한 손을 필사적으로 부여잡으며 애원하듯 낮은 목소리로 외쳤다. "여보, 몰리!"

조이스 코트는 두 손을 꼭 쥔 채 그의 뒤에 서 있었고, 두 뺨에는 눈물 자국이 길게 나 있었다.

바닥에 쓰러진 여자는 조이스 코트와 닮았지만 나이가 더 많았고, 조이스에게는 없는 냉담함이 얼굴에 있었다.

"죽었어요. 살해당했어." 월리스 비넷은 새하얘진 얼굴을 들어 스페이드를 바라보며 믿을 수 없다는 듯 말했다. 월리스가 고개를 움직이자 스페이드는 황갈색 드레스를 입은 여자의 심장 쪽에 난 둥근 탄흔에서 빠르게 퍼져나가는 짙은 얼룩을 볼 수 있었다.

스페이드는 조이스 코트의 팔을 건드렸다. "경찰, 응급실, 전화." 조이스 코트가 계단으로 달려갔고, 스페이드는 월리스 비넷에게 물었다. "누가,"

스페이드 뒤에서 미약한 신음이 들렸다.

스페이드는 재빠르게 뒤돌았다. 열린 문 사이로 헝클어진 침대 위에 흰 잠옷을 입고 널부러진 노인이 보였다. 머리, 한쪽 어깨, 한쪽 팔이 침대 끝에 걸쳐져 있었다. 다른 쪽 손으로는 자신의 목을 꼭 쥐고 있었다. 노인은 다시 신음했고 눈꺼풀이 떨렸지만, 눈을 뜨지는 않았다. 스페이드는 노인의 고개와 어깨를 부축해 베개 위에 올려주었다. 노인은 다시 앓는 소리를 내고는 목에서 손을 뗐다. 노인의 목은 6개의 멍으로 불그스름했다. 그는 수척했고 얼굴에 팬 주름이 깊어 더 늙어 보였다.

침대 옆 탁자에 물 한 잔이 놓여 있었다. 스페이드는 노인의
얼굴에 물을 끼얹었고, 눈꺼풀이 다시 떨리자 몸을 기울여
낮은 목소리로 부드럽게 물었다. "누가 그랬습니까?"
떨리는 눈꺼풀이 열리면서 좁은 틈으로 충혈된 회색
눈동자가 보였다. 노인은 다시 목에 손을 갖다 대며
고통스럽게 말했다. "남자, 그…." 노인이 쿨럭거렸다.
스페이드는 참지 못하고 얼굴을 찌푸렸다. 그의 입술이
노인의 귀에 거의 닿을 듯했다. "어디로 갔어요?"
스페이드의 목소리는 다급했다.
수척한 손이 힘없이 집 뒤편을 가리키고는 다시 침대 위로
떨어졌다.
집사와 겁에 질린 두 여자 하인이 월리스 비넷과 함께
복도에 있는 죽은 여자 곁에 모여 있었다.
"누가 그런 겁니까?" 스페이드가 물었다.
그들은 얼빠진 얼굴로 스페이드를 바라봤다.
"누가 저 노인 좀 챙겨요." 스페이드는 나직이 말하고
복도로 나갔다.
복도 끝에 뒤쪽 계단이 있었다. 그는 2칸씩 내려가 식료품
저장실을 지나 부엌으로 들어갔다. 아무도 보이지 않았다.
부엌문은 닫혀 있었지만, 열어보니 잠겨 있지는 않았다.
좁은 뒤뜰을 가로질러 가자 나온 출입문도 닫혀 있었지만,
잠겨 있지 않았다. 그는 출입문을 열었다. 문 뒤로 난 좁은
골목에는 아무도 없었다.
스페이드는 한숨을 쉬고, 출입문을 닫고, 집으로 돌아왔다.

* * *

스페이드는 윌리스 비넷의 집 2층 전면부를 가로지르는 방 안의 가죽 의자에 편안히 늘어져 앉아 있었다. 책장들이 있고 불이 켜져 있었다. 먼 가로등 불빛에 창밖의 어둠이 살짝 뿌예 보였다. 스페이드 맞은편에는 체격이 크고, 대충 면도한 발그레한 얼굴의 폴하우스 경사가 다림질이 필요한 짙은 색 옷을 입고 또 다른 가죽 의자에 늘어져 있었다. 폴하우스보다는 작지만 단단한 체격에, 얼굴이 각진 던디 경위는 방 한가운데에 다리를 벌리고 서서 고개를 살짝 앞으로 내밀고 있었다.

스페이드가 이야기하고 있었다. "–그리고 의사가 노인과 이야기할 시간을 몇 분밖에 주지 않았어요. 좀 쉬고 나면 다시 이야기해볼 수는 있는데, 아는 게 많은 것 같진 않아요. 낮잠을 자고 있었고, 깼을 때는 목이 잡힌 상태로 침대에서 이리저리 끌려다녔대요. 목을 조르는 사람을 한쪽 눈으로 본 게 다고요. 중절모를 눈까지 내려 쓴 거구였고, 짙은 피부색에 면도가 필요해 보였다더군요. 톰처럼요." 스페이드가 톰 폴하우스를 보면서 끄덕였다. 폴하우스 경사가 쿡쿡 웃었지만, 던디는 무뚝뚝하게 말했다. "계속해."

스페이드는 빙긋이 웃고 이야기를 이어갔다. "비넷 부인이 문가에서 비명을 질렀을 때 노인은 정신을 거의 잃은 상태였어요. 목을 조르던 손이 풀리고 총소리가 들렸고, 기절하기 직전에 집 뒤편으로 향하는 거구의 남자와 복도 바닥에 쓰러지는 비넷 부인을 본 짧은 기억만 있답니다. 그 거구는 처음 보는 사람이었다고 하고요."

"어떤 총을 썼지?" 던디가 물었다.

"38구경입니다. 집에 있던 사람들은 전혀 도움이
안 돼요. 윌리스와 처제 조이스는 조이스의 방에 있었고,
뛰쳐나왔을 때 죽은 여자 말고는 아무도 보지 못했다고
했습니다. 누군가 뒤쪽 계단으로 뛰어 내려가는 소리를
들은 것 같다고 하긴 했어요.
집사 이름은 자보인데 비명과 총소리를 들었을 때 여기
있었다고 했습니다. 가정부 아이린 켈리는 아래 1층에
있었고요. 요리사 마거릿 핀은 3층 뒤편에 있는 자기 방에
있었고, 아무 소리도 듣지 못했답니다. 요리사의 귀가
먹었다는 건 모두 확인해줬습니다. 뒷문과 출입문이 잠겨
있지 않았는데, 다들 원래는 잠겨 있는 거라고 했어요. 그
시간에 부엌이나 뒤뜰 근처에 있었다고 한 사람은 아무도
없었습니다." 스페이드는 마무리의 몸짓으로 두 손을
펼쳐 보였다. "여기까지입니다."

던디가 고개를 저었다. "아니지." 그가 말했다. "자네는 왜
여기 있었던 거지?"

스페이드의 얼굴이 밝아졌다. "내 의뢰인이 여자를
죽였을 수도 있겠군요." 그가 말했다. "윌리스의 사촌,
아이라 비넷입니다. 아세요?"

던디가 고개를 저었다. 던디의 파란 눈은 매서웠고 의혹을
품고 있었다.

"샌프란시스코 변호사예요." 스페이드가 말했다.
"훌륭한 사람이죠. 며칠 전에 찾아와 삼촌 티머시에 관해
이야기하면서, 힘들게 살아서 많이 쇠약해지긴 했지만,

69

돈이 넘쳐나는 지독한 구두쇠 노인이라고 하더군요.
집안의 골칫거리였던 모양이에요. 한동안 아무도 소식을
몰랐고요. 한 6개월에서 8개월 전쯤 아주 형편없는 꼴로
나타났는데, 돈이 많은 것만 빼고요. 호주에서 아주
큰돈을 번 것 같다고 하더군요. 유일하게 남은 친척인 조카
윌리스와 아이라와 여생을 함께하고 싶어 했다고 합니다.
두 사람에겐 나쁠 게 없었습니다. '유일하게 남은
친척'이라는 건 그들 말로 하면 '유일한 상속자'라는
뜻이니까요. 하지만 그들은 곧 두 상속자 중 하나보다는
단독 상속자가 되고 싶다는 생각이 들었습니다. 2배가
되는 거죠. 두 사람은 노인에게 더 우선순위가 되려고
손을 쓰기 시작했다더군요. 아이라는 윌리스와의 상황을
이렇게 설명했는데, 아마 윌리스도 똑같이 말했을 겁니다.
형편이 더 쪼들리는 건 윌리스였던 것 같지만요. 아무튼
두 조카 사이가 틀어졌고, 아이라와 함께 지내던 팀 삼촌이
여기로 오게 된 겁니다. 그게 몇 달 전이었는데, 아이라는
그 후로 삼촌을 보지 못했고 전화나 편지로도 연락할 수가
없었습니다.
그래서 사립 탐정이 필요했던 겁니다. 아이라는 이 집에서
삼촌을 함부로 대할 거라고 생각진 않았습니다. 아니,
그걸 확인하려고 애썼죠. 아무튼 윌리스가 노인을 속이려
하거나, 노인에게 눈치를 주거나, 적어도 아끼는 조카
아이라에 관해 거짓말을 하고 있을 거라 생각했습니다.
아이라는 어떤 상황인지 알고 싶어 했어요. 그래서 내가
호주에서 온 배가 닿는 오늘까지 기다렸다가 저 멀리 있는
팀 삼촌의 재산과 관련된 중요한 소식을 알고 있는 에임스

씨로 여기 온 겁니다. 비넷 씨와 15분만 따로 이야기하면
되는 일이었는데." 스페이드는 생각에 잠겨 얼굴을
찌푸렸다. "그러지 못했죠. 월리스는 노인이 날
안 보겠다고 했다더군요. 사실은 알 수 없죠."

던디의 차가운 파란 눈에 의혹이 깊어졌다. "그 아이라
비넷은 지금 어디 있지?" 던디가 물었다.

스페이드의 황회색 눈동자와 목소리에는 숨김이 없었다.
"나도 알고 싶네요. 집과 사무실에 연락해 여기로 오라는
말을 남기긴 했는데 아무래도,"

방문을 손가락 관절로 날카롭게 두드리는 소리가 두 차례
들렸다. 방 안의 세 사람은 고개를 돌려 문을 쳐다보았다.
던디가 말했다. "들어와."

햇볕에 그은 피부의 경관이 문을 열었고, 경관의 왼손에
회색 옷을 잘 맞게 차려입은 40에서 45살쯤 된 통통한
남자의 오른쪽 손목이 잡혀 있었다. 경관은 통통한 남자를
방 안으로 밀어 넣었다. "부엌문에서 얼쩡거리는 걸
발견했습니다." 경관이 말했다.

"아!" 스페이드가 흡족해하며 말했다. "아이라 비넷 씨,
던디 경위님과 폴하우스 경사님입니다."

아이라 비넷이 빠르게 대답했다. "스페이드 씨, 이분에게
말 좀 해주세요,"

던디가 경관에게 말했다. "알겠네. 잘했어. 그만
나가보게."

경관은 한 손을 모자에 슬쩍 가져다 대고 방에서 나갔다.
던디는 아이라 비넷을 노려보며 추궁했다.

"말씀해보시죠."

아이라 비넷은 던디에게서 스페이드에게로 시선을
옮겼다. "이게 무슨,"
스페이드가 말했다. "왜 정문이 아니라 뒷문에 있었는지
경위님께 설명하는 게 낫겠네요."
아이라 비넷이 갑자기 얼굴을 붉혔다. 그는 당황해
목소리를 가다듬었다. "저, 음, 설명하죠. 제가 뭘 잘못한
건 아닙니다. 정말입니다. 그러니까 집사가 팀 삼촌이 저를
보자고 했다고 전화를 했어요. 부엌문을 열어두겠다고
했죠. 그래야 월리스가 제가 온 걸,"
"왜 보자고 한 거죠?" 던디가 물었다.
"저도 모릅니다. 이유는 얘기하지 않았어요. 아주
중요하다고만 했습니다."
"제 연락은 받으셨나요?" 스페이드가 물었다.
아이라 비넷의 눈이 커졌다. "아니요. 왜 연락하셨죠? 무슨
일이 있었나요? 대체,"
스페이드가 문 쪽으로 다가갔다. "계속하세요." 던디에게
말했다. "금방 돌아올게요." 스페이드는 조심스럽게 문을
닫고 3층으로 올라갔다.
집사 자보가 티머시 비넷의 방문 앞에 무릎을 꿇고 열쇠
구멍에 눈을 대고 있었다. 옆에 놓인 쟁반에는 달걀 컵 안의
달걀과 토스트, 커피 주전자, 그릇과 은 식기, 냅킨이 놓여
있었다.
스페이드가 말했다. "토스트 식겠어요."
자보는 허겁지겁 서둘러 일어서다가 커피 주전자를
거의 엎을 뻔했고, 당황해 얼굴을 붉히며 말을 더듬었다.
"아, 죄, 죄송합니다. 가지고 들어가기 전에 티머시 씨가

일어나셨는지 확인하려고 했습니다." 자보는 쟁반을 집어
들었다. "쉬시는 데 방해가 되면,"

스페이드는 문에 다가서며 말했다. "그럼요, 그렇죠."
그리고는 몸을 숙여 열쇠 구멍에 눈을 댔다. 스페이드가
다시 일어서며 불평하듯 말했다. "침대는 안 보이고
의자랑 창문만 살짝 보이는데요."

집사가 빠르게 대답했다. "예, 맞습니다, 그렇더군요."

스페이드가 소리 내 웃었다.

집사는 헛기침을 하고 무언가 말하려는 듯했지만, 하지
않았다. 그는 머뭇거리다가 조용히 문을 두드렸다.

지친 목소리가 대답했다. "들어와."

스페이드는 재빨리 낮은 목소리로 물었다. "코트 양은
어디 있죠?"

"자기 방에 계실 겁니다. 왼쪽에서 두 번째 방입니다."
집사가 대답했다.

지친 목소리가 방 안에서 재촉했다. "아, 들어오라니까."

집사는 문을 열고 안으로 들어갔다. 스페이드는 집사가
문을 닫기 전에 베개를 받치고 침대에 앉은 티머시 비넷을
문틈으로 재빨리 보았다.

스페이드는 왼쪽에서 두 번째 방으로 가서 문을 두드렸다.
조이스 코트가 거의 곧바로 문을 열었다. 그녀는 웃지 않고,
말도 하지 않고, 문가에 서 있었다.

스페이드가 말했다. "코트 양, 저와 형부가 함께 있던 방에
들어오면서 "월리, 저 늙은이가,"라고 말했죠. 티머시를
말한 건가요?"

조이스는 잠시 스페이드를 바라보다가 답했다. "네."

"이어 말하려던 게 무엇인지 말해주실 수 있습니까?"
그녀가 천천히 말했다. "당신이 진짜 누구인지,
그걸 왜 묻는지도 모르지만 상관없어요. '아이라를
불러들였어'였을 거예요. 자보가 그 직전에
얘기해줬거든요."
"감사합니다."
그녀는 스페이드가 돌아서기도 전에 문을 닫았다.
스페이드는 티머시 비넷의 방으로 돌아가 문을 두드렸다.
"또 누구야?" 노인이 물었다.
스페이드가 문을 열었다. 노인은 침대에 앉아 있었다.
스페이드가 말했다. "조금 전에 자보가 열쇠 구멍으로
방을 훔쳐보고 있었습니다." 그러고는 서재로 돌아왔다.

아이라 비넷은 스페이드가 앉아 있던 자리에 앉아 던디와
폴하우스에게 이야기를 하고 있었다. "다들 그랬듯
윌리스도 시장 폭락에 휘말렸지만, 살아남으려고 장부에
손을 쓴 것 같아요. 증권거래소에서 제명되었죠."
던디는 한 손을 들어 방과 가구들을 가리켰다. "파산한 것
치고는 꽤 고급스러운 집이군요."
"윌리스 아내한테 돈이 좀 있어요." 아이라 비넷이
말했다. "형편에 맞지 않게 사는 편이기도 하고요."
던디가 아이라 비넷을 노려보았다. "정말로 윌리스와
아내 사이가 좋지 않았다고 생각합니까?"
"생각하는 게 아닙니다." 아이라 비넷이 차분히 대답했다.
"그게 사실이에요."
던디는 고개를 끄덕였다. "윌리스가 처제인 코트 양에게

마음을 품고 있다는 것도 알고 있습니까?"

"그건 모릅니다. 하지만 비슷한 소문은 많이 들었죠."

던디는 낮게 끙, 하는 소리를 내고는 날카롭게 물었다.

"노인의 유언장에는 어떤 내용이 적혀 있죠?"

"모릅니다. 유언장이 있는지 없는지도 몰라요." 아이라 비넷은 스페이드를 보며 진지하게 말했다. "제가 아는 건 다 이야기했습니다. 하나도 빠뜨리지 않고요."

던디가 말했다. "충분치 않아요." 던디는 엄지손가락으로 문을 가리켰다. "어디서 기다리면 되는지 안내해드려, 톰. 그리고 남편을 다시 데려와."

덩치 큰 톰 폴하우스가 대답했다. "알겠습니다." 톰은 아이라 비넷과 나갔다가 창백하게 굳은 얼굴의 월리스 비넷을 데리고 돌아왔다.

던디가 물었다. "삼촌이 유언장을 만들었습니까?"

"모릅니다." 월리스 비넷이 대답했다.

스페이드가 조심스럽게 이어 질문했다. "아내 분은요?"

월리스 비넷의 입이 억지웃음을 띠며 다물어졌다. 그는 차분히 이야기했다. "하지 않아도 될 이야기지만 몇 가지 드리죠. 사실, 아내에게는 돈이 없었습니다. 예전에 제가 재정적인 문제에 휘말렸을 때 재산 일부를 지키고자 아내에게 넘겼습니다. 아내가 저 몰래 재산을 현금화했고, 전 나중에야 알게 되었죠. 그 돈으로, 여러 비용, 그러니까 생활비 청구서 같은 것을 처리하긴 했지만, 아내는 저에게 돌려주기를 거부했고 그 어떤 일이 일어나도, 그러니까 아내가 살아 있든 죽든, 우리가 함께 살든 이혼을 하든 한 푼이라도 제가 갖게 되는 일은 없을 거라고 했습니다.

저도 아내의 말대로 될 거라 생각했습니다. 지금도
그렇고요.”

“이혼을 원했습니까?” 던디가 물었다.

“네.”

“왜죠?”

“행복한 결혼 생활이 아니었습니다.”

“조이스 코트는요?”

윌리스 비넷의 얼굴이 붉어졌다. 그는 딱딱하게 말했다.

“조이스 코트를 향한 마음이 엄청난 것은 사실이지만,
그렇지 않더라도 이혼을 원했을 겁니다.”

스페이드가 말했다. “아는 사람 중에 삼촌이 설명한 목을
조른 남자와 비슷한 사람이 없다고 했죠? 지금도 떠오르는
사람이 전혀 없나요?”

“전혀 없습니다.”

초인종이 울리는 소리가 방 안으로 희미하게 들려왔다.

던디가 시큰둥하게 말했다. “여기까지 하죠.”

윌리스 비넷이 나갔다.

폴하우스가 말했다. “아주 문제 있는 사람이네요.
그리고,”

아래층에서 권총이 실내에서 발사되는 묵직한 소리가
들렸다.

전등불이 꺼졌다.

세 사람은 어둠 속에서 서로 부딪치며 문을 지나 불이 꺼진
복도로 나왔다. 스페이드가 먼저 계단에 닿았다. 등 뒤로
발소리는 계속 들렸지만, 계단 모퉁이에 다다르기 전까지
아무것도 보이지 않았다. 열린 현관문으로 거리의 빛이

들어오자 문을 향해 등지고 선 남자의 검은 형체가 보였다. 스페이드 바로 뒤에 있던 던디가 손전등을 찰칵 켰고, 남자의 얼굴에 번쩍이는 흰 빛줄기를 던졌다. 아이라 비넷이었다. 아이라는 불빛에 눈을 깜박이며 앞쪽 바닥에 있는 무언가를 가리켰다.

던디가 빛줄기의 방향을 돌려 바닥을 비추었다. 자보가 엎드려 누워 있었고, 뒤통수의 총알 구멍에서 피가 흘러나오고 있었다.

스페이드가 낮게 탄식했다.

톰 폴하우스가 더듬거리며 계단 아래로 내려왔고, 월리스 비넷이 바로 뒤따랐다. 조이스 코트의 겁에 질린 목소리가 한참 위에서 들려왔다. "악, 무슨 일이에요? 월리, 무슨 일이에요?"

"전등 스위치 어딨어요?" 던디가 소리를 지르며 말했다.

"이 계단 아래, 지하실 문 안에 있어요." 월리스 비넷이 말했다. "무슨 일입니까?"

폴하우스가 월리스 비넷을 밀어젖히고 지하실 문으로 향했다.

스페이드는 알아듣기 어려운 소리를 내뱉으며 월리스 비넷을 밀어젖히고 계단을 뛰어 올라갔다. 그는 조이스 코트를 스쳐 지났고, 그녀가 깜짝 놀라 비명을 질렀지만, 신경 쓰지 않고 계속 올라갔다. 3층으로 가는 계단을 반쯤 올랐을 때 3층에서 총이 발사되었다.

스페이드는 티머시 비넷의 방으로 달려갔다. 문이 열려 있었다. 안으로 들어갔다. 누군가 방을 가로질러 와 단단하고 각진 물건 같은 것으로 스페이드의 오른쪽

귀 위쪽을 내려쳤고, 스페이드는 한쪽 무릎을 꿇고
주저앉았다. 바로 문밖 바닥에 무언가 쿵 떨어져 덜컥대는
소리가 났다.

전등불이 켜졌다.

방 한가운데 바닥에 티머시 비넷이 등을 대고 누워 있었고,
왼팔 위쪽의 총에 맞은 상처에서 피가 흘렀다. 잠옷 상의가
찢겨 있었다. 노인은 눈을 감고 있었다.

스페이드가 일어나 머리에 손을 짚었다. 스페이드는
바닥에 누워 있는 노인과, 방 곳곳, 복도 바닥에 놓인 검은
자동 권총을 노려보았다. 스페이드가 말했다. "이봐요,
살인자 양반. 일어나서 의자에 앉으면 의사가 오기 전에
출혈을 멈출 수 있을지 봐드리죠."

바닥에 누운 노인은 움직이지 않았다.

복도에서 발소리가 들렸고, 던디를 따라 비넷 가의
두 젊은이가 들어왔다. 던디의 얼굴은 어두웠고 몹시 화가
나 있었다. "부엌문이 활짝 열려 있어," 던디는 화가 나
말을 제대로 잇지 못했다. "아주 들락날락…"

"됐습니다." 스페이드가 말했다. "우리 먹잇감은 팀
삼촌이니까." 스페이드는 숨을 삼키는 윌리스 비넷과
믿을 수 없다는 표정의 던디와 아이라 비넷을 쳐다도 보지
않고 바닥에 누운 노인에게 말했다. "자, 일어나시죠.
집사가 열쇠 구멍으로 뭘 훔쳐본 건지 이야기해봅시다."

노인은 꼼짝하지 않았다.

"집사가 방을 훔쳐보고 있었다고 내가 이야기해줘서
집사를 죽인 겁니다." 스페이드가 던디에게 설명했다.
"나도 들여다봤는데 의자랑 창문만 보이더군요. 나와

집사가 꽤 소란스럽게 했으니, 노인이 바로 침대로
돌아가기엔 아마 무서웠을 겁니다. 의자는 됐고, 창문을
한번 보도록 하죠." 스페이드는 창문 쪽으로 다가가
자세히 살펴보기 시작했다. 그는 고개를 흔들더니 등 뒤로
손을 내밀고 말했다. "손전등 좀 줘봐요."
던디가 스페이드의 손에 손전등을 쥐여주었다.
스페이드는 창문을 열어 창밖으로 몸을 내밀고, 건물
외벽에 빛을 비췄다. 그는 이내 불만스러운 소리를
내며 다른 손을 내밀어 창틀에서 살짝 아래 있는 벽돌을
잡아당겼다. 이내 벽돌이 빠져나왔다. 스페이드는
벽돌을 창틀에 올려두고, 벽돌이 빠져나온 구멍에 손을
집어넣었다. 빈 검은 권총 가방과 다 채워지지 않은 탄약통,
봉하지 않은 누런 봉투가 하나씩 차례로 창문 안으로
들어왔다.
스페이드는 물건들을 손에 들고 사람들을 돌아보았다.
조이스 코트가 물이 담긴 대야와 붕대 한 뭉치를 들고
들어와 티머시 비넷 옆에 무릎을 꿇고 앉았다. 스페이드는
권총 가방과 탄약통을 탁자에 올려두고, 누런 봉투를
열었다. 봉투 안에는 연필로 쓴 굵은 글씨가 양면에 가득한
종이 2장이 들어 있었다. 스페이드는 혼자 한 단락을 읽어
내려가다 갑자기 웃음을 터뜨리고는 다시 처음부터 큰
소리로 읽기 시작했다.
"나, 티머시 키런 비넷은, 온전한 정신과 신체로, 이것이
나의 최종 유언임을 선언한다. 사랑하는 조카, 아이라
비넷과 월리스 버크 비넷은 나를 집에 받아들여 주고 나의
노후를 함께하는 애정 어린 친절함을 베풀어주었기에

내가 세상에 남기는 모든 재산을 공평하게 물려준다.
공평하게, 똑같이. 정확하게는, 나의 시체와 입고 있는
옷을 물려준다.

이에 더해 나의 장례식 비용과 나의 이 기억들 또한
그들에게 물려준다. 첫째, 내가 싱―싱 교도소에서 보낸
15년을 호주에서 보냈다고 믿는 그들의 순진함. 둘째,
그 15년 동안 내가 엄청난 부를 이루었는데도 조카들과
함께 살며 돈을 빌려 쓰고 내 돈은 한 푼도 쓰지
않은 이유를 자기들에게 상속해줄 부를 쥔 지독한
구두쇠여서라고 생각하고, 본인들에게 뜯어낸 돈 말고는
아무것도 없는 빈털터리라고는 생각하지 않은 그들의
긍정적인 태도. 셋째, 내가 가진 것들을 둘 중 하나에게
상속할 것이라 기대한 큰 희망. 마지막으로 이 모든 게
얼마나 재미있는 일인지 이해하지 못할, 끔찍할 만큼
부족한 유머 감각. 이 유언장에 서명하고 봉인하여,"
스페이드가 고개를 들고 말했다. "날짜는 없지만, 티머시
키런 비넷이라고 화려하게 서명되어 있습니다."

아이라 비넷은 분노로 벌겋게 달아올랐고, 월리스는
창백하게 질린 얼굴로 온몸을 떨고 있었다. 조이스 코트는
티머시 비넷의 팔을 치료하던 손을 멈추었다.

노인이 일어나 앉아 눈을 떴다. 그는 조카들을 보더니
소리 내 웃기 시작했다. 병적인 흥분이나 광기가 느껴지는
웃음이 아니었다. 진심에서 우러나오는 진짜 웃음이었다.
그의 웃음은 천천히 잦아들었다.

스페이드가 말했다. "좋아요, 다 웃은 것 같군요. 이제
살인에 관해 이야기해보죠."

"첫 번째 일에 관해서는 아까 이야기한 게 전부야."
노인이 말했다. "그리고 그건 살인이 아니지, 나는 그냥,"
월리스 비넷이 여전히 격하게 몸을 떨며 이를 악물고
힘겹게 말했다. "거짓말이야. 당신이 몰리를 죽였어.
몰리의 비명을 듣고 조이스랑 방 밖으로 나왔을 때
총소리가 들렸고, 몰리가 당신 방에서 나와 쓰러진 뒤로
방에서 나온 사람은 없었어."

노인이 차분하게 말했다. "그래, 이야기하지. 그건
사고였어. 호주에서 누가 찾아와서 거기 있는 내 재산에
관해 이야기하고 싶다고 했다더군. 뭔가 이상하다고
생각했지." 그가 히죽 웃었다. "호주에는 가본 적도
없으니까. 우리 조카 중 하나가 나를 의심해서 일을 꾸민
건지 아닌지는 알 수 없었지만, 어쨌든 월리가 꾸민 일이
아니라면 찾아온 그 사람에게 나에 관해 캐물을 테고
이 공짜 호텔을 잃을 수도 있겠다 싶더군." 그는 빙그레
웃었다.

"여기서 일이 잘못되면 아이라 집으로 돌아가기 위해
아이라에게 연락을 해놓고, 그 호주 사람을 처리하기로
했지. 월리는 항상 내가 반쯤 미쳤다고 생각했어." 그는
조카를 힐끗 보았다. "그래서 내가 자기한테 유리한
유언장을 써두기 전에 정신병원에 끌려가거나 유언장을
쓰더라도 인정되지 않을까 봐 걱정했지. 증권거래소
문제나 이런저런 일로 평판이 아주 별로니까 말이야.
내가 미쳐버리면 법원에서 내 뒤처리를 자기한테 맡길
리 없다는 걸 알고 있었거든. 게다가," 그는 아이라에게
시선을 옮겼다. "훌륭한 변호사인 다른 조카도 있으니까.

그래서 내가 정신병원에 갈 만한 소란을 일으키면 일단
손님을 쫓아낼 걸 알고 있었어. 어쩌다 보니 그때 제일
가까이 있었던 몰리가 소란에 휘말린 거지. 너무 심각하게
받아들인 게 문제였어.

나는 총을 들고서 호주에 나를 염탐하는 적들이 많다고
미쳐 날뛰면서 내려가 그 사람을 쏘아버리겠다고 했지.
그런데 몰리가 너무 몰입해서 총을 뺏으려고 했던 거야.
총이 발사되었다는 걸 알았고, 바로 나는 내 목에
이 자국들을 만들고, 짙은 거구의 남자 이야기를 꾸며내야
했지."노인은 경멸하는 눈빛으로 윌리스 비넷을
바라보았다. "이 녀석이 내가 죽인 걸 알고도 모르는 척할
줄은 몰랐네. 별로인 줄은 알았지만, 아무리 사이가
안 좋았다 해도 자기 아내를 죽인 사람을 돈 때문에 모른
척할 정도로 저질인 줄은 전혀 몰랐어."

스페이드가 말했다. "그건 됐고, 집사는 어떻게 된
겁니까?"

"집사 일은 전혀 몰라."노인은 침착한 눈으로 스페이드를
올려다보며 대답했다.

스페이드가 말했다. "집사가 무언가 말하거나 손 쓰기
전에 빨리 죽여야 했겠죠. 그래서 뒤쪽 계단으로 재빠르게
내려가, 사람들을 속이기 위해 부엌문을 열어두고,
정문으로 가서 초인종을 누르고 문을 닫아두고서, 계단
아래 지하실 문 앞 어둠에 몸을 숨긴 거죠. 자보가 초인종
소리를 듣고 내려왔을 때 그를 쏴서 탄흔이 뒤통수에
남았고, 바로 지하실 문 안에 있는 전등 스위치를 내리고
어둠 속에서 뒤쪽 계단을 기어 올라가서 신중하게 자기

팔에 총을 쐈겠죠. 내가 너무 빨리 와서 총으로 내려쳤고, 내가 정신을 못 차리고 빙빙 도는 동안 방문밖으로 총을 던지고는 바닥에 드러누웠던 겁니다."

노인은 콧방귀를 뀌었다. "당신 지금,"

"그만해요." 스페이드가 천천히 말했다. "더 이야기할 것도 없습니다. 첫 번째 살인은 사고라고 칩시다. 하지만 두 번째는 아니죠. 두 살인의 총알과 당신 팔에 박혀 있는 총알이 같은 총에서 발사된 거라는 사실은 어렵지 않게 확인될 겁니다. 둘 중 뭐가 1급 살인인지 아닌지 더 이야기할 필요가 있습니까? 교수형은 한 번뿐인걸요."

스페이드가 밝게 미소지었다. "그렇게 끝나겠죠."

너무 많은 자가 살아 있다

남자의 넥타이는 저녁노을 같은 주황빛이었다. 그는 키가
크고, 살집 있는, 덩치 큰 사내였고, 딱딱한 인상이었다.
검은 머리를 가운데 가르마를 타서, 두피에 붙여 빗어
내렸고, 단단해 보이는 두툼한 볼, 언뜻 보아도 아주 꼭
맞는 옷, 머리 양쪽에 딱 붙은 작은 분홍색 귀까지,
각 부분이 색은 다르지만, 하나의 매끄러운 표면을 이루는
듯했다. 그는 35살처럼 보이기도 45살처럼 보이기도 했다.
그는 새뮤얼 스페이드의 책상 옆에 앉아, 말라카 지팡이에
기대어 몸을 약간 앞으로 기울인 채 말했다. "아니요.
그 남자에게 무슨 일이 있었던 건지 알아내 달라는 겁니다.
그 사람을 찾고 싶은 건 절대 아닙니다." 그의 불거진
초록색 눈이 진지하게 스페이드를 바라보았다.
스페이드는 의자에 앉아 몸을 뒤로 기댔다. 뼈가
도드라지는 턱과 입, 콧구멍, 숱 많은 눈썹이 모두 V자를
그리며 유쾌한 악마처럼 보이는, 그의 얼굴에서 느껴지는
절제된 흥미가 목소리에도 묻어났다. "왜죠?"
초록 눈의 남자는 침착하게, 확신을 갖고 말했다.
"설명하죠, 스페이드. 제가 찾던 사립 탐정이 바로
당신이라고 하더군요. 그래서 왔습니다."
스페이드는 고개만 끄덕였다.
초록 눈의 남자가 말했다. "정당한 비용이라면 얼마든
상관없습니다."
스페이드는 한 번 더 끄덕였다. "저는," 그가 말했다.
"먼저 그 비용으로 뭘 의뢰하는 건지 알아야겠습니다.
이 일라이 헤이븐이라는 사람에게 무슨 일이 있었는지는
알고 싶지만, 그 자가 어떻게 되었든 알 바 없다는 건가요?"

초록 눈의 남자가 목소리를 낮추었지만, 표정에는 변화가 없었다. "그렇다고 할 수 있죠. 예를 들어, 당신이 그 남자를 찾아 무슨 상황인지 알아내서 그가 영원히 돌아오지 않게 된다면 더 큰 비용을 지불할 수도 있습니다."

"그 사람이 돌아오기를 원한다 해도요?"

초록 눈의 남자가 말했다. "더더욱 그렇습니다."

스페이드는 미소를 띤 채 고개를 저었다. "비용을 더 낸다 해도 그렇게는 안 될 겁니다." 그는 손가락이 길고 굵은 손을 팔걸이에서 떼고 손바닥을 들어 올렸다. "자, 이게 다 무슨 일이죠, 콜라이어?"

콜라이어의 얼굴이 조금 붉어졌지만, 눈은 깜빡이지 않고 차가운 시선을 유지했다. "이 남자에게 아내가 있어요. 그 아내를 마음에 두고 있습니다. 지난주에 두 사람이 다툰 후 남자가 사라졌습니다. 제가 그녀에게 남편이 영영 떠나버렸다는 걸 확신시킬 수 있다면 그녀가 이혼할 수도 있습니다."

"그분과 이야기해봐야겠군요." 스페이드가 말했다. "일라이 헤이븐은 어떤 사람입니까? 무슨 일을 하죠?"

"형편없는 놈입니다. 하는 게 없어요. 시를 쓴다나."

"도움이 될 만한 이야기는 더 없습니까?"

"그의 아내, 줄리아가 이야기해줄 수 있는 것 이상은 저도 모릅니다. 만나서 이야기해보시죠." 콜라이어는 자리에서 일어났다. "저도 연줄이 좀 있어요. 뭔가 알아볼 수 있을 겁니다."

❉ ❉ ❉

스물대여섯 살쯤 되어 보이는 작은 골격의 여자가 아파트 문을 열었다. 그녀의 연한 청색 드레스에는 은 단추들이 달려 있었다. 날씬했고, 어깨가 곧고 골반이 좁았으며, 조금만 덜 우아했더라면 건방져 보였을 만큼 콧대 높은 태도를 유지했다.

스페이드가 말했다. "헤이븐 부인이신가요?"

그녀는 잠시 주저하다가 대답했다. "네."

"진 콜라이어가 당신을 만나보라고 했어요. 스페이드라고 합니다. 사립 탐정이죠. 그는 당신의 남편을 찾고 싶어 하더군요."

"그래서 찾았나요?"

"그전에 부인을 만나보겠다고 했어요."

그녀의 얼굴에서 미소가 사라졌다. 그녀는 스페이드의 얼굴을 하나하나 찬찬히 뜯어보고는 말했다.

"들어오세요." 그러고는 뒤로 물러서며 문을 열어젖혔다. 아이들이 소란스럽게 노는 놀이터가 내다보이고, 싸구려 가구들로 꾸며진 방의 의자에 마주 앉으며 그녀가 물었다.

"진이 왜 일라이를 찾는지 말했나요?"

"그가 아예 떠났다는 것을 알면 당신이 옳은 판단을 할 거라고 하더군요."

그녀는 아무 말도 하지 않았다.

"전에도 이렇게 사라진 적이 있습니까?"

"종종."

"어떤 사람이죠?"

"좋은 사람이죠." 그녀는 냉담하게 말했다. "맨정신일 때는요. 술을 마시면 여자랑 돈 문제 빼고는 괜찮아요."

"괜찮은 구석이 많기도 했던 모양이군요. 무슨 일을 하죠?"

"시인이에요." 그녀가 답했다. "하지만 시로는 먹고살 수 없죠."

"그런가요?"

"아, 한 번씩 돈을 들고 나타나기는 해요. 포커나 경마로 딴 돈이라며. 잘은 몰라요."

"결혼한 지는 얼마나 됐어요?"

"4년, 거의." 스페이드는 조롱하듯 살짝 웃었다.

"계속 샌프란시스코에서 살았나요?"

"아니요, 시애틀에서 첫해를 보내고 여기로 왔어요."

"남편이 시애틀 출신입니까?"

그녀는 고개를 저었다. "델라웨어 어디라고 했어요."

"어디죠?"

"몰라요."

스페이드는 숱 많은 눈썹을 살짝 찌푸렸다. "당신은 어디 출신이죠?"

그녀가 부드럽게 말했다. "저를 찾는 게 아니잖아요."

"이런 식으로 하면." 스페이드가 투덜거렸다. "자, 남편 친구들은요?"

"잘 몰라요!"

스페이드는 참지 못하고 얼굴을 찡그렸다. "아는 사람이 있을 거 아닙니까." 그가 다시 물었다.

"알겠어요. 미네라랑 루이스 제임스, 그리고 누군가 코니라고 부르던 사람이 있어요."

"뭐 하는 사람들인가요?"

"남자들이죠." 그녀는 건조하게 말했다. "그 사람들에
관해선 아는 게 없어요. 남편에게 전화하거나 찾아와서
차에 태워 가거나, 시내에서 함께 돌아다니는 걸 보곤 했죠.
그게 다예요."

"그 사람들은 어떤 일을 합니까? 전부 다 시를 쓰진 못할
텐데요."

그녀는 웃었다. "뭐, 써볼 수도 있겠죠. 그중에 루이스
제임스는 아마 진의 부하일 거예요. 정말로 더는
그 사람들에 관해 아는 게 없어요."

"친구들은 남편이 어디 있는지 알까요?"

그녀는 어깨를 으쓱했다. "그런 거라면 절 속인 거겠네요.
이따금 전화해서 남편이 돌아왔는지 여전히 묻고
있거든요."

"여자 문제는 누구를 말하는 건가요?"

"모르는 사람들이에요."

스페이드는 생각에 잠겨 바닥을 노려보다가 물었다.

"시를 쓰면서 놀기 전까지는 무슨 일을 했습니까?"

"무엇이든, 진공청소기도 팔고, 떠돌아다니다가,
바다에 나가기도 하고, 카드 게임도 좀 하고, 기차 여행도
하고, 매음굴, 벌목장, 순회공연 일에도 기웃거리고,
신문사에서도 일하고, 무엇이든."

"돈을 챙겨 나갔나요?"

"저한테 3달러 빌려 갔어요."

"뭐라 하면서 나가던가요?"

그녀가 웃었다. "자기가 나가 있는 동안 아는 신이란
신에게 모조리 행운을 빌면 저녁에 놀랄 만한 소식을 갖고

돌아올 거라고 했어요."

스페이드는 눈썹을 들어 올렸다. "남편과 사이는
좋았나요?"

"아, 네. 마지막으로 싸우고 화해한 지 며칠 됐어요."

"언제 나갔죠?"

"목요일 오후. 3시쯤, 아마도."

"남편 사진 있습니까?"

"네." 그녀는 창가의 탁자로 가서 서랍을 열었고, 손에
사진을 들고 다시 돌아왔다. 스페이드는 사진 속 얄따란
얼굴의 움푹 팬 눈과 관능적인 입, 굵은 금발 뭉치로
덥수룩하게 덮이고 주름이 깊이 팬 이마를 들여다보았다.
스페이드는 헤이븐의 사진을 주머니에 넣고 모자를 집어
들었다. 문을 향해 돌아섰다가, 멈추어 섰다. "남편은 어떤
시인이었죠? 잘 썼나요?"

그녀는 어깨를 으쓱했다. "누구에게 물어보느냐에 따라
다르겠죠."

"집에 작품이 있습니까?"

"아니요." 그녀가 웃었다. "그이가 종이 사이에 숨었을까
봐요?"

"어떤 게 단서가 될지는 알 수 없어요. 곧 다시 오죠. 좀 더
얘기해줄 게 있는지 잘 생각해보시길. 안녕히."

스페이드는 포스트 거리를 걸어 내려가 멀퍼드 서점에
들러 헤이븐의 시집이 있는지 물었다.

"죄송하지만," 점원이 말했다. "지난주에 마지막 한 권을
팔았어요." 그녀는 미소지었다. "헤이븐 씨 본인에게요.

원하시면 주문해드릴 수 있어요.”

“헤이븐 씨를 알아요?”

“그분에게 책을 팔긴 했죠.”

스페이드는 불만스럽다는 듯 입술을 비죽거리며 물었다.

“그게 언제였죠?” 그는 점원에게 명함을 건넸다.

“부탁합니다. 중요한 일이에요.”

그녀는 책상으로 가서, 붉은 표지의 장부를 넘겨보고는,
펼친 장부를 손에 들고 스페이드에게 돌아왔다. “지난
수요일이었네요.” 그녀가 말했다. “책은 퍼시픽 거리
1981번지, 로저 페리스 씨에게 배송됐어요.”

“감사합니다.” 스페이드가 말했다.

밖으로 나와서, 그는 택시를 잡고 기사에게 로저 페리스의
주소를 말했다.

퍼시픽 거리의 집은 회색 화산암으로 된 4층짜리 건물로,
좁다란 잔디밭 뒤에 있었다. 통통한 얼굴의 가정부가
스페이드에게 안내한 방은 넓고 천장이 높았다.
스페이드는 의자에 앉았지만, 가정부가 나가자 일어나 방
곳곳을 둘러보았다. 그는 책이 3권 놓인 탁자 앞에 멈춰
섰다. 그중 한 권은 연어 살색 표지에 빨간색으로 윤곽이
그려진 번개가 남자와 여자 사이의 땅을 가로지르며 번쩍
내리치고, 검은 글씨로 ‘색빛, 일라이 헤이븐 지음’이라고
적혀 있었다.
스페이드는 책을 집어 들고 의자로 돌아갔다.
표지 안쪽 백지에 짧은 문장이 적혀 있었다. 푸른 잉크로
쓴, 굵고, 가지런하지 않은 글씨였다.

그리운 벗에게, 그의 빛 색을 알고 있는 사람,
그날의 빛을 기억하며, 일라이

스페이드는 아무 쪽이나 펼쳐 시를 훑어보았다.

진술

너무 많은 자가 살아 있다
우리 목숨의
증거가 되려고
우리가 살아 있듯

너무 많은 자가 죽었다
우리 죽음의
증거가 되려고
그들이 죽었듯

스페이드는 연미복을 입은 남자가 방으로 들어서자
책에서 눈을 떼고 고개를 들었다. 남자는 키가 크진
않았지만, 꼿꼿하게 선 자세 덕분에 185cm에 가까운
스페이드 앞에서도 꽤 커 보였다. 그의 눈은 50대쯤 돼
보이는 나이에도 흐리지 않고 푸르게 빛났고, 햇빛에 그은
얼굴 근육은 전혀 처지지 않았으며, 이마가 매끈하게
넓고, 결이 굵고 짧은 머리카락은 백발에 가까웠다. 그의
표정에는 긍지가 담겨 있었고, 온화했다.
그는 스페이드가 들고 있는 책을 보고 끄덕였다. "어떻게

생각하십니까?"

스페이드가 활짝 웃으며 말했다. "저는 문외한이라서요."
그는 책을 내려놓았다. "안 그래도 이것 때문에 찾아오긴
했습니다, 페리스 씨. 헤이븐 아시죠?"

"예, 그럼요. 앉으시죠, 스페이드 씨." 그는 스페이드의
의자에서 멀지 않은 의자에 앉았다. "일라이가 어릴
때부터 알았습니다. 무슨 일이 생긴 건 아니죠, 그렇죠?"

스페이드가 말했다. "모릅니다. 그를 찾는 중입니다."

페리스가 주저하며 말했다. "무슨 일인지 물어도
될까요?"

"진 콜라이어를 아십니까?"

"네." 페리스는 다시 주저하다가 말했다. "이건
기밀입니다. 저는 북부 캘리포니아 전역에 영화관 체인을
소유하고 있는데, 그러니까, 몇 년 전 노사 문제가 있었을
때 콜라이어에게 연락하면 문제를 해결해줄 거라는
얘기를 들었죠. 그렇게 콜라이어를 알게 됐습니다."

"그렇군요." 스페이드가 건조하게 말했다. "많은 사람이
그런 식으로 콜라이어를 만나게 되더군요."

"하지만 그 사람이 일라이와 무슨 상관이 있죠?"

"그가 헤이븐을 찾길 원합니다. 헤이븐을 만난 지 얼마나
되셨죠?"

"지난 목요일에 헤이븐이 여기 왔었어요."

"언제쯤 갔습니까?"

"자정, 조금 지나서요. 오후 3시 반쯤 왔고. 서로 못 본 지
오래됐거든요. 제가 저녁까지 먹고 가라고 했어요. 행색이
꽤 초라해서 돈을 조금 빌려줬습니다."

"얼마를요?"

"150 정도요. 집에 있는 전부였습니다."

"나가면서 어딜 가는지 말했나요?"

페리스는 고개를 흔들었다. "다음날 전화하겠다고
했어요."

"다음날 전화가 왔습니까?"

"아니요."

"헤이븐과 평생 알고 지내신 건가요?"

"그건 아니지만, 15-6년 전에 내 밑에서 일했어요.
'위대한 동서양 쇼'라는 공연 회사를 한동안 동업자와
함께 운영하다 나중에는 저 혼자 운영했죠. 하여튼 제가
헤이븐을 늘 아꼈었죠."

"목요일에 본 게 얼마 만에 만난 거였습니까?"

"글쎄요." 페리스가 답했다. "한동안 소식이 끊겼어요.
그러다 수요일에, 주소도 아무것도 없이, 앞에 저렇게만
적힌 책이 느닷없이 도착했고, 다음 날 아침 일라이가
전화를 했습니다. 일라이가 살아 있다는 것도 제힘으로
무언가 하고 있다는 것도 너무 기뻤죠. 그날 오후에 집에
찾아왔고 거의 9시간 내내 지난 이야기들을 나눴습니다."

"자기가 그동안 무얼 했는지도 다 이야기하던가요?"

"그저 이리저리 돌아다니며, 이일 저일 하고, 때가 되면
쉬기도 했다더군요. 하소연을 많이 한 건 아니었지만,
150을 쥐여 보내야 했습니다."

스페이드가 일어섰다.

"정말 감사합니다, 페리스 씨. 제가,"

페리스가 말을 막았다. "아닙니다. 제가 할 수 있는 게

뭐라도 있으면 연락하세요."

스페이드는 자기 시계를 보았다. "새로 알게 된 게 있는지 사무실에 전화해봐도 될까요?"

"그럼요. 옆 방에 전화가 있습니다. 오른쪽이요."

"감사합니다." 스페이드가 방 밖으로 나갔다. 그는 담배를 말며 돌아왔다. 표정이 없었다.

"무슨 소식이라도?" 페리스가 물었다.

"네. 콜라이어가 의뢰를 취소했어요. 총알 3발이 박힌 헤이븐의 시체가 새너제이 반대편 덤불에서 발견되었다는군요." 스페이드는 웃으며, 가볍게 덧붙였다. "연줄로 뭔가 알아볼 수 있을 거라고 했었거든요."

* * *

스페이드의 사무실 창문 커튼 사이로 들어온 아침 햇살이 바닥에 2개의 두툼하고, 노란 직사각형을 드리우고, 사무실을 전부 노랗게 물들였다.

스페이드는 책상에 앉아, 생각에 잠겨 신문을 보고 있었다. 에피 페린이 바깥 사무실에서 들어왔지만 올려다보지 않았다.

그녀가 말했다. "헤이븐 부인이 왔어요."

스페이드는 고개를 들고 말했다. "잘됐네. 들여보내."

헤이븐 부인이 서둘러 들어왔다. 그녀의 얼굴은 새하얗고 낮의 온기 속에서 털코트를 입고도 몸을 떨었다. 그녀는 곧장 스페이드에게 다가가 물었다. "진이 그 사람을 죽였나요?"

스페이드가 말했다. "모릅니다."

"전 알아야겠어요." 그녀는 울었다.

스페이드는 그녀의 손을 잡았다. "자, 앉으시죠." 그는
그녀를 의자에 앉혔다. 그가 물었다. "콜라이어가 의뢰를
취소했다고 이야기하던가요?"

그녀는 놀라며 스페이드를 바라보았다. "진이 뭘
했다고요?"

"어젯밤에 당신 남편이 발견되었고, 더는 제가 필요하지
않다고 연락을 남겼더군요."

그녀는 고개를 떨구고 거의 들리지 않게 말했다. "그가
그런 거군요."

스페이드는 어깨를 으쓱했다. "결백한 사람만이 의뢰를
취소할 수 있지 않을까요, 아니면 범인이지만, 그럴 만한
두뇌와 대담함을 갖고 있을 수도,"

그녀는 스페이드의 말을 듣고 있지 않았다. 그녀는 그에게
몸을 기울이며 진지하게 물었다. "하지만, 스페이드 씨,
이렇게 그만두지 않으실 거죠? 그 사람이 당신을 멈추게
하지 않으실 거죠?"

그녀가 말하는 사이 스페이드의 전화가 울렸다.

"잠시만요," 스페이드는 수화기를 집어 들었다. "뭐?
아하, 그래서?" 그가 입술을 오므렸다. "잠깐만." 그는
천천히 수화기를 옆으로 내리고 헤이븐 부인을 다시
쳐다보았다. "콜라이어가 밖에 있습니다."

"제가 여기 있다는 걸 아나요?" 그녀가 빠르게 물었다.

"그건 알 수 없어요." 그는 그녀를 유심히 보지 않는
척하며 일어섰다. "괜찮겠어요?"

그녀는 아랫입술을 이 사이로 깨물고는 주저하며 말했다.
"네."
"알겠어요. 들어오게 하죠."
그녀는 이의를 제기하기라도 하듯 한 손을 들어 올렸지만,
이내 내렸고, 하얀 얼굴은 차분해졌다. "마음대로
하세요." 그녀가 말했다.
스페이드는 문을 열고 말했다. "안녕하세요, 콜라이어.
들어오시죠. 당신 이야기를 하던 참입니다."
콜라이어는 고개를 끄덕이고 한 손에는 지팡이, 다른
손에는 모자를 들고 사무실로 들어왔다. "줄리아, 좀
어때요? 나한테 전화를 했어야죠. 집까지 데려다줄 텐데."
"나, 나는 정신이 없었어요."
콜라이어는 그녀를 잠시 더 바라보다가 감정 없는 초록
눈의 초점을 스페이드의 얼굴로 옮겼다. "내가 그런 게
아니라는 걸 설명해줬어요?"
"거기까진 아직 얘기 못 했죠." 스페이드가 말했다.
"당신을 의심할 이유가 얼마나 있는지 알아보고
있었습니다. 앉으시죠."
콜라이어는 다소 조심스럽게 앉으며 물었다. "그리고요?"
"그리고 당신이 왔죠."
콜라이어는 심각하게 고개를 끄덕였다. "좋아요,
스페이드." 그가 말했다. "헤이븐 부인에게 나와는 아무
상관도 없는 일이라는 걸 증명하기 위해 당신을 다시
고용하죠."
"진!" 그녀는 제대로 나오지 않는 목소리로 외치고는
호소하듯 그에게 두 손을 내밀었다. "당신이 그랬다고

생각하지 않아요. 그렇게 생각하고 싶지 않아요. 하지만
너무 무서워요." 그녀는 두 손으로 얼굴을 감싸고 울기
시작했다.

콜라이어는 그녀에게 다가갔다. "진정해요," 그가 말했다.
"함께 알아낼 수 있을 거예요."

스페이드는 바깥 사무실로 나가며 문을 닫았다.

에피 페린이 타자를 하다가 멈추었다.

스페이드가 그녀를 보고 활짝 웃으며 말했다. "누가
저 사람들 이야기 좀 책으로 내야겠는걸. 신기한
사람들이야." 그는 물병이 있는 쪽으로 갔다. "윌리
켈로그 연락처 있을 거야. 전화해서 톰 미네라를 찾으려면
어디로 가야 하는지 물어봐 줘."

그가 다시 안쪽 사무실로 들어갔다.

헤이븐 부인이 울음을 멈추었다. 그녀가 말했다.
"죄송해요."

스페이드가 말했다. "괜찮습니다." 그는 콜라이어를
곁눈질했다. "저는 안 잘린 건가요?"

"네." 콜라이어가 목소리를 가다듬었다. "하지만 당장
중요한 일이 있는 게 아니라면 난 헤이븐 부인을 집에
데려다주는 게 좋겠군요."

"그러시죠. 한 가지만요, 크로니클 신문을 보니 당신이
헤이븐의 신원 확인을 했더군요. 어떻게 알고 거기 가
있었던 거죠?"

"시체를 찾았다고 해서 간 겁니다," 콜라이어가 침착하게
말했다. "연줄이 있다고 말씀드렸죠. 그 사람들을 통해서
그 시체에 관해 들었어요."

스페이드가 말했다. "알겠습니다. 또 뵙죠." 그는
두 사람에게 문을 열어주었다.

두 사람 뒤로 복도 문까지 닫히자, 에피 페린이 말했다.
"미네라는 아미 거리 벅스턴에 있어요."

스페이드가 말했다. "고마워." 그는 모자를 챙기러 안쪽
사무실로 들어갔다. 그가 나오면서 말했다. "만약 내가
몇 달 동안 돌아오지 않으면 내 시체는 거기서
찾아보라고 해줘."

* * *

스페이드는 허름한 복도를 지나 '411'이라고 적힌
낡은 초록색 문 앞에 도착했다. 문밖으로 웅얼거리는
목소리들이 들려왔지만, 알아들을 수 있는 건 없었다. 그는
귀 기울이길 멈추고 문을 두드렸다.

뭔가 감추는 게 분명한 듯한 목소리의 남자가 물었다.
"뭐야?"

"톰을 만나고 싶은데요. 샘 스페이드입니다."

잠시 침묵이 흘렀다. "톰은 여기 없어."

스페이드가 한 손을 문고리에 올리고 허술한 문을
흔들었다. "그러지 말고, 열어." 그는 낮은 목소리로
말했다.

곧 문을 연 스물대여섯 살쯤 되는 마르고 피부색이 짙은
남자가, 진짜라는 듯 짙은 눈동자를 반짝거리며 말했다.
"당신인 줄 몰랐어요." 늘어진 입 때문에 작은 턱이 더
작아 보였다. 그의 풀어헤친 초록 줄무늬 셔츠가 깔끔하지

101

않았다. 회색 바지는 세심하게 다림질되어 있었다.

"요즘 같을 땐 조심해야지." 스페이드는 진지하게
말한 뒤, 입구를 지나 그가 들어왔다는 사실에 무관심한
척하려는 두 남자가 있는 방으로 들어갔다.

둘 중 하나는 창턱에 기대어 손톱을 다듬고 있었다. 다른
하나는 의자에 앉아 몸을 뒤로 젖히고 발을 탁자 끝에
걸친 채 두 손 사이에 신문을 펼쳐 들고 있었다. 두 사람은
동시에 스페이드를 흘끗 보고는 각자 할 일을 계속했다.

스페이드가 쾌활하게 말했다. "톰 미네라의 친구라면
언제나 반갑지."

미네라는 문을 마저 닫고 어색하게 말했다. "아, 예,
스페이드 씨. 콘래드와 제임스예요."

콘래드는 창가에 있는 남자로, 손에 손톱 다듬줄을 든 채
대충 정중한 몸짓을 해 보였다. 그는 미네라보다 몇 살 많아
보였고, 평균 키에 단단한 체구, 멍한 눈에 이목구비가
두툼했다.

제임스는 잠깐 신문을 내려 스페이드를 쌀쌀맞게
훑어보고 말했다. "여, 안녕하십니까." 그러고는 다시
신문을 읽었다. 그 역시 콘래드처럼 단단한 체구였지만,
키가 더 컸고, 다른 두 사람에게는 없는 예리함이 얼굴에
보였다.

"아." 스페이드가 말했다. "약속에 늦는 일라이 헤이븐의
친구들이기도 하지."

창문에 기댄 남자가 손톱 다듬줄로 손가락을 찌르고는
심한 욕설을 뱉었다. 미네라는 입술에 침을 바르고,
볼멘소리로 빠르게 말했다. "스페이드, 정말 솔직하게,

우린 일주일 동안 아무도 일라이를 못 봤어요.”

이 얼굴색이 짙은 남자의 태도에 스페이드는 살짝 즐거워 보였다.

“일라이가 살해당한 이유가 뭐라고 생각해?”

“제가 아는 거라곤 신문에서 말하는 것뿐이에요, 주머니가 모두 뒤집혀 있었고 성냥 하나조차 안 남아 있었다고 하던데요.” 그는 입꼬리를 아래로 내렸다. “하지만 제가 알기로 일라이에게는 돈이 없었어요. 화요일 밤엔 한 푼도 없었다고요.”

스페이드가, 부드러운 목소리로, 말했다. “목요일 밤에는 좀 있었다고 들었는데.”

미네라가, 스페이드 뒤에서, 다 들릴 정도로 숨을 삼켰다.

제임스가 말했다. “이유는 당신이 알아야죠. 저는 몰라요.”

“일라이가 당신들과 일한 적도 있나?”

제임스는 천천히 신문을 옆에 내려두고 탁자에서 발을 내렸다. 스페이드의 질문에 큰 흥미를 보였지만, 개인적 감정은 거의 없어 보였다. “지금 그 말은 무슨 뜻이죠?”

스페이드는 놀라는 척했다. “자네들도 뭔가 하긴 할 거 아냐?”

미네라가 스페이드의 옆으로 왔다. “아, 들어봐요, 스페이드,” 그가 말했다. “일라이는 그냥 알고 지내던 친구예요. 걔를 죽일 이유도 전혀 없고, 우린 아무것도 몰라요. 알잖아요, 우리가,”

천천히 문을 두드리는 소리가 세 차례 들렸다.

미네라와 콘래드가 쳐다보자 제임스가 끄덕였지만,

스페이드가 빠르게 문 쪽으로 가서 문을 열었다.

로저 페리스가 서 있었다.

스페이드는 페리스를 보며 멍하니 눈을 끔벅거렸고,

페리스도 스페이드를 보며 멍하니 눈을 끔벅거렸다.

페리스가 손을 내밀며 말했다. "여기서 보다니 반갑군요."

"들어오세요." 스페이드가 말했다.

"이걸 보시죠, 스페이드 씨." 주머니에서 살짝 때가 탄

봉투를 꺼내는 페리스의 손이 떨렸다.

봉투 위에 타자기로 친 페리스의 이름과 주소가 있었다.

우표는 없었다. 스페이드는 봉투에 든 기다란 싸구려

흰 종이쪽지를 꺼내 펼쳤다. 타자기로 입력되어 있었다.

목요일 밤과 관련하여 오늘 오후 5시에
아미 거리 벅스턴 호텔 411호로 오는 게 좋을 겁니다.

서명은 없었다.

스페이드가 말했다. "5시는 한참 멀었는데요."

"맞습니다." 페리스가 힘주어 동의했다. "쪽지를

받자마자 왔습니다. 일라이가 우리 집에 온 게 목요일

밤이거든요."

미네라가 스페이드를 밀쳐내며 물었다. "이게 다 무슨

일이죠?"

스페이드는 얼굴색이 짙은 남자가 읽을 수 있게 쪽지를

들어 올렸다. 그는 쪽지를 읽고 큰 소리로 말했다.

"진짜로요, 스페이드. 전 이 쪽지에 관해 전혀 몰라요."

"아는 사람 없나?" 스페이드가 물었다.

"몰라요." 콘래드가 급히 말했다.

제임스가 말했다. "무슨 쪽지?"

스페이드는 페리스를 꿈꾸듯 잠시 바라보고는, 혼잣말하듯 말했다. "역시, 헤이븐은 당신을 갈취하려 했군요."

페리스의 얼굴이 붉어졌다. "뭐라고요?"

"갈취." 스페이드는 차분히 다시 말했다. "돈, 협박."

"이것 보세요, 스페이드," 페리스가 진지하게 말했다. "정말 그렇게 생각하는 건 아니죠? 일라이가 대체 무슨 일로 나를 협박합니까?"

"그리운 벽에게," 스페이드가 죽은 시인의 문장을 인용했다. "그의 빛 색을 알고 있는, 그날의 빛을 기억하며." 그는 살짝 들어 올린 눈썹 밑으로 음침하게 페리스를 바라보았다. "무슨 색 빛이죠? 달리는 열차에서 사람을 밀어버리는 걸 곡예단이나 순회공연 쪽 속어로 뭐라고 하죠? 붉은빛. 맞다, 그거. 붉은빛. 누구를 밀었어요, 페리스, 헤이븐이 그 사실을 알고 있었어요?"

미네라는 의자로 가 앉았고, 두 팔꿈치를 무릎에 올리고, 두 손으로 머리를 잡은 채 바닥을 멍하니 바라보았다. 콘래드는 달리기라도 한 것처럼 가쁜 숨을 쉬었다.

스페이드가 페리스를 다그쳤다. "말해봐요."

페리스는 손수건으로 얼굴을 닦고, 주머니에 손수건을 넣은 뒤, 짧게 말했다. "갈취였습니다."

"그리고 당신이 죽인 거죠."

스페이드의 황회색 눈을 들여다보는 페리스의 푸른 눈은 그의 목소리처럼 또렷하고 침착했다. "전 안 죽였어요."

그가 말했다. "맹세코 제가 그런 게 아닙니다. 무슨 일이
있었는지 이야기하겠습니다. 일라이가 내게 책을 보냈고,
말했다시피, 책 앞 장에 써놓은 그 농담이 무슨 뜻인지
바로 알 수 있었습니다. 그래서 다음날, 일라이가 전화를
걸어 옛이야기도 나누고 옛정을 생각해 돈을 빌리러 집에
찾아온다고 말했을 때도 그의 말이 무슨 의미인지 알았고,
은행에 가서 만 달러를 인출했습니다. 확인할 수 있을
겁니다. 시먼스 내셔널 은행입니다."

"확인해보죠." 스페이드가 말했다.

"알고 보니, 그렇게 많이 필요한 건 아니더군요. 일라이는
그렇게 악질은 아니었고 저는 5천을 가져가라고 했습니다.
나머지 5천은 다음날 은행에 다시 넣어두었어요.
확인할 수 있을 겁니다."

"확인해보죠." 스페이드가 말했다.

"더 이상의 요구에는 가만히 있지 않겠다고, 이 5천이
처음이자 마지막이라고 말했습니다. 서류에 서명하라고
했고, 제가 한 일을 도왔다고 쓰여 있는, 일라이는
서명을 했어요. 자정쯤 집에서 나갔고, 그게 그를 본
마지막이었습니다."

스페이드는 페리스가 준 봉투를 톡톡 치며 말했다.

"이 쪽지는 뭐죠?"

"심부름하는 아이가 정오에 가져다주자마자 바로
왔습니다. 일라이가 분명 아무에게도 말하지 않았다고
했지만, 알 수 없으니까요. 무슨 상황이든 제가 직접
확인해야 했습니다."

스페이드는 표정 없이 세 사람을 돌아보았다. "이래도?"

미네라와 콘래드가 제임스를 바라봤고, 제임스는 짜증을 내며 얼굴을 찌푸리고 말했다. "그래, 맞아요, 우리가 쪽지를 보냈어요. 그게 뭐 잘못입니까? 우린 일라이 친구고, 저 양반을 협박하러 간 뒤로 일라이를 못 봤는데, 죽어서 나타났잖아요. 그래서 저 양반을 불러다 설명을 좀 들어볼까 한 거죠."

"협박에 대해 알고 있었나?"

"그럼요. 일라이가 그 생각을 떠올렸을 때 다 같이 있었으니까."

"어쩌다 그런 생각을 하게 된 거지?" 스페이드가 물었다. 제임스가 왼손 손가락을 펼쳐 보였다. "술을 마시면서 떠들고 있었어요. 뭐, 남자들이 모이면 하는 뭘 본 적이 있고 한 적이 있고 그런 이야기요. 일라이가 기차에서 사람을 발로 차서 골짜기로 떨어뜨리는 걸 본 적 있다는 긴 이야기를 했고, 발로 찬 사람 이름까지 말하게 됐는데, 벅 페리스였어요. 그랬더니 누가 '그 페리스라는 사람 어떻게 생겼는데?'라고 물었죠. 일라이가 15년 동안 만난 적이 없다면서 그때 모습을 설명하는데, 누구였는지는 몰라도 휘파람을 불더니 이렇게 말했어요. '이 주에 있는 영화관 체인 절반을 갖고 있는 페리스가 확실해. 장담하는데 과거의 흔적을 덮으려고 너한테 뭐라도 줄 거야!'

뭐, 일라이도 그 말에 솔깃했어요. 티가 났죠. 잠시 생각을 하더니 말이 없어졌어요. 영화관을 갖고 있다는 페리스의 성을 물었고, 누군가 '로저'라고 말해주자 실망한 티를 내며 말했어요. '아니네, 그 사람 아니네. 그 사람 성은

마틴이었어.' 우리는 다 같이 일라이를 비웃어줬고
일라이도 그 사람을 찾아가 볼 생각을 했다고 인정했죠.
그러더니 목요일 정오쯤에 전화해서는 그날 밤에 포기
헤커네 가게에서 파티를 열겠다고 했어요. 무슨 일인지
뻔히 알 수 있었죠."

"붉은빛 당한 사람 이름은 뭐지?"

"말 안 했어요. 입을 꾹 다물더군요. 일라이를 탓할 순
없죠."

"그래," 스페이드도 동의했다.

"그걸로 끝이었어요. 일라이는 포기네에 그림자도
비치지 않았죠. 새벽 2시쯤 통화를 해보려고 했지만,
와이프는 일라이가 집에 들어오지 않았다고 했고, 우린
네다섯 시까지 죽치고 있다가 우릴 바람 맞힌 거라고
결론 내고, 포기한테 술값은 일라이 앞으로 달아놓으라고
하고 나왔어요. 그 뒤로는 일라이를 못 봤어요. 살았든
죽었든지요."

스페이드가 나긋하게 말했다. "그래, 그랬을 수도 있겠지.
새벽 늦게 일라이를 만나, 차에 태워서, 페리스의 5천을
받는 대신 총알을 박아주고, 숲에?"

날카롭게 문을 두드리는 소리가 두 차례 들렸다.
스페이드의 얼굴이 밝아졌다. 그는 문 쪽으로 가서 문을
열었다.

젊은 남자가 들어왔다. 아주 말끔한 차림에 아주 균형이
잘 잡힌 체격이었다. 가벼운 얇은 코트를 입고 양손을
주머니에 넣고 있었다. 그는 문 안으로 들어오자마자
오른쪽 벽에 등을 대고 섰다. 그 사이 다른 젊은 남자가

들어 왔다. 그는 왼쪽으로 섰다. 사실 비슷하게 생기지는 않았지만, 둘 다 말쑥한 차림에, 몸가짐이 정돈되어 있고, 거의 똑같은 자세로, 주머니에 양손을 넣고, 벽에 등을 대고, 냉철하고, 또렷한 눈으로 방 안의 사람들을 주시하고 있어 순간, 쌍둥이처럼 보였다.

이어 진 콜라이어가 들어왔다. "안녕하세요, 진." 하며 제임스가 인사했지만, 콜라이어는 스페이드에게만 고갯짓을 하고, 방 안의 다른 사람들에게 눈길도 주지 않았다.

"새로운 게 있습니까?" 콜라이어가 스페이드에게 물었다. 스페이드가 끄덕였다. "여기." 그가 엄지손가락을 젖혀 페리스를 가리켰다. "이 신사분이,"

"이야기할 만한 데가 있습니까?"

"뒤에 부엌이 있어요."

콜라이어는 어깨 너머로 말쑥한 두 청년에게 툭 던지듯 말했다. "누구든 나타나면 해치워." 그러고는 스페이드를 따라 부엌으로 갔다. 스페이드가 알게 된 정보를 이야기하는 동안 콜라이어는 부엌 의자에 앉아 초록 눈을 깜박이지 않고 그를 빤히 쳐다보았다.

탐정이 설명을 마치자 초록 눈의 남자가 물었다. "자, 어떻게 생각하십니까?"

스페이드는 생각에 잠겨 상대방을 바라보았다. "알아낸 것이 있군요. 뭔지 알고 싶군요."

콜라이어가 말했다. "시체가 발견된 지점에서 400m 떨어진 개울에서 총을 찾았습니다. 제임스의 총이죠. 언젠가 벌레이오에서 직접 총을 쏜 적이 있는데 그때 생긴 흔적이 총에 남아 있습니다."

"그거 좋은 소식이군요." 스페이드가 말했다.

"들어보시죠. 서버라는 녀석 말로는 제임스가 지난
수요일에 찾아와 헤이븐 미행을 시켰다더군요.
서버가 목요일 오후에 헤이븐을 태워 페리스 집에
내려주고, 제임스에게 전화를 했답니다. 제임스가
가만히 기다리다가 헤이븐이 나오면 어디로 가는지
알려달라고 했는데, 애가 계속 어슬렁거리니까 이웃에
사는 예민한 여자가 신고하는 바람에 밤 10시쯤 경찰이
쫓아왔답니다."

스페이드는 입술을 깨물고 생각에 잠겨 천장을 응시했다.
콜라이어의 눈에는 감정이 드러나지 않았지만, 흐르는
땀에 둥근 얼굴이 반득거렸고, 목소리가 쉬어 있었다.

"스페이드," 그가 말했다. "나는 저놈을 고발할 겁니다."
스페이드는 천장에서 그의 불거진 초록 눈으로 시선을
옮겼다.

"나는 단 한 번도 내 사람을 고발한 적이 없어요."
콜라이어가 말했다. "하지만 이번엔 합니다. 범인이 내
사람 중 하나인데, 내가 그를 고발한다면 줄리아가 이 일과
내가 아무 상관 없다고 믿을 겁니다, 그렇죠?"

스페이드가 천천히 끄덕였다. "그렇겠죠."
콜라이어는 갑자기 시선을 거두고 목소리를 가다듬었다.
그가 다시 뱉은 말은 냉랭했다. "그렇게 될 겁니다."
스페이드와 콜라이어가 부엌 밖으로 나왔을 때 미네라와
제임스, 콘래드는 앉아 있었다. 페리스는 방을 왔다 갔다
했다. 말쑥한 두 청년은 그대로였다.

콜라이어가 제임스에게 다가갔다. "네 총은 어디 있지, 제임스?" 그가 물었다.

제임스는 오른손을 왼쪽 가슴 위쪽으로 가져가다가, 멈추고 말했다. "아, 안 가지고 왔어요."

콜라이어가 장갑 낀 손바닥으로 제임스의 옆얼굴을 내리쳤고, 제임스는 의자에서 떨어졌다. 제임스는 일어서며 우물거렸다. "별생각 없었어요." 그는 옆얼굴을 손으로 감쌌다. "그러지 말았어야 했다는 거 알아요, 사장님. 하지만 일라이가 전화를 걸어 맨몸으로 페리스와 맞서고 싶지 않은데 자기한테는 아무것도 없대서, 알겠다고 하고 일라이한테 보냈어요."

콜라이어가 말했다. "그리고 서버도 보냈겠지."

"우리는 그냥 일라이가 제대로 해내는지 알고 싶었을 뿐이에요." 제임스가 우물거렸다.

"네가 직접 가거나 다른 사람을 보낼 수도 있었잖아?"

"서버가 온 동네를 뒤집어놓고 난 다음에요?"

콜라이어가 스페이드에게로 돌아섰다. "이들을 데려갈 수 있게 도와드릴까요, 아니면 호송차를 부르시겠습니까?"

"관례대로 하죠." 스페이드가 벽걸이 전화기 쪽으로 갔다. 다시 돌아보았을 때 그의 얼굴은 표정이 없었고, 눈은 꿈꾸는 듯했다. 그는 담배를 말아, 불을 붙인 뒤, 콜라이어에게 말했다. "이상하게 들리겠지만, 당신의 제임스가 해준 이야기에 정답이 꽤 있다는 생각이 드는군요."

제임스는 멍든 뺨에서 손을 내리고 놀란 눈으로 스페이드를 쳐다보았다.

콜라이어가 성을 냈다. "대체 뭐가 문젭니까?"

"문제없어요." 스페이드가 부드럽게 말했다. "당신이 성급한 마음에 제임스를 너무 몰아세우고 있다는 것만 빼면." 그는 담배 연기를 내뿜었다. "왜일까, 생각해봐요, 사람들이 알아차릴 표시가 있는 총을 왜 거기 두고 왔을까요?"

콜라이어가 말했다. "이 녀석한테 생각할 머리가 있다고 보는군요."

"만약 이 친구들이 일라이를 살해했고, 그가 죽었다는 것을 알고 있었다면, 왜 시체가 발견되고 일이 꼬일 때까지 기다렸다가 다시 페리스를 찾았을까요? 일라이의 돈을 뺏은 거라면 왜 주머니를 다 뒤집어놓았을까요? 그건 꽤 번거로운 일이고 다른 이유로 살인을 저지르고 강도처럼 보이게 하고 싶을 때 하는 짓입니다." 그는 고개를 저었다. "당신은 너무 성급하게 이들을 몰아세우고 있어요. 이 친구들이 왜?"

"지금 그게 중요한 게 아닙니다." 콜라이어가 말했다. "왜 계속해서 내가 성급하게 이놈들을 몰아세운다고 하는 겁니까?"

스페이드가 어깨를 으쓱했다. "가능한 한 빨리, 가능한 한 명확하게 줄리아에게 결백을 증명하고 싶을 테고, 경찰에게도 결백을 증명해야 하고, 그래야 계속 고객을 유지할 수 있으니까요."

콜라이어가 말했다. "뭐라고요?"

스페이드는 담배로 대충 가리켜 보였다. "페리스," 그가 건조하게 말했다. "페리스가 죽인 거죠, 물론."

콜라이어는 눈을 깜박이진 않았지만, 눈꺼풀이 떨리고 있었다.

스페이드가 말했다. "첫째, 페리스는 살아 있는 일라이를 마지막으로 본 사람이죠. 언제나 가능성이 가장 큰 경우입니다. 둘째, 일라이의 시체가 발견되기 전에 내가 이야기해본 사람 중 유일하게 숨기는 게 없어 보이도록 신경 쓴 사람입니다. 나머지는 내가 그저 실종된 사람을 찾는 정도로 생각했죠. 페리스는 자기가 살해한 남자를 내가 찾고 있다는 걸 알았기에 자신의 결백을 호소해야 했습니다. 책이 서점에서 배달되었으니 추적이 가능했고, 점원이 책 속에 적힌 문장을 봤을지도 모르니 책을 함부로 버릴 수도 없었을 겁니다. 셋째, 페리스는 일라이를 상냥하고 순수하고 다정한 어린 친구로 생각했던 유일한 사람이었습니다. 같은 이유죠. 넷째, 오후 3시에 협박을 하러 나타난 사람이 5천 달러를 쉽게 손에 넣고 자정까지 그곳에 머물렀다는 건 아무리 좋은 술을 줬다 해도 말도 안 되는 소리입니다. 다섯째, 일라이가 서명했다는 서류는 더 말도 안 됩니다. 물론 쉽게 위조 서류를 만들 수 있었겠죠. 여섯째, 우리가 아는 사람 중 일라이의 죽음을 가장 바라는 사람입니다."

콜라이어가 천천히 고개를 끄덕였다. "하지만,"

"하지만 확실한 건 없죠." 스페이드가 말했다. "은행에서 만 달러를 인출하고 5천 달러를 재입금하는 속임수를 써놓았을 겁니다. 쉬운 일이죠. 이제 그 어리숙한 협박범을 집에 들여, 하인들이 모두 잠들 때까지 잡아두었다가, 빌려온 총을 빼앗고, 아래층으로 떠밀어 차에 태워서는,

차를 타고 나갔겠죠. 이미 죽은 상태로 태웠을 수도 있고, 덤불에서 쏘았을 수도 있습니다. 몸을 탈탈 털어 신분 확인이 쉽지 않게 하면서 강도를 당한 것처럼 보이게 해놓고, 물가에 총을 던져두고, 집으로."

스페이드는 잠시 멈추고 거리에서 들려오는 사이렌 소리를 들었다. 그러고는 이야기를 시작한 뒤 처음으로, 페리스를 바라보았다.

페리스의 얼굴은 하얗게 질려 있었지만, 눈은 침착함을 유지했다.

스페이드가 말했다. "감이 잡히는군요, 페리스. 그 붉은빛에 관해서도요. 일라이가 당신 밑에서 일할 때 공연 회사를 한동안은 동업자와 운영하다가, 나중에는 혼자 운영했다고 했죠. 그 동업자를 찾는 게 그리 어렵지는 않을 겁니다. 그 사람이 실종되었든, 늙어 죽었든, 혹은 아직 살아 있든 말이죠."

페리스의 꼿꼿한 자세가 흐트러졌다. 그는 입술에 침을 바르고 말했다. "변호사를 부르겠습니다. 변호사가 오기 전에는 말하지 않을 겁니다."

스페이드가 말했다. "난 상관없습니다. 당신은 궁지에 몰린 것 같군요, 하지만 난 협박범들을 좋아하지 않아요. 일라이가 그 책에서 그들에게 꽤 잘 어울리는 묘비명을 쓴 것 같군요. '너무 많은 자가 살아 있다'."

칼은 아무것도 설명해주지 않는다

새뮤얼 스페이드가 문을 두드리자 그대로 문이 열리며 난도질 된 죽은 여자의 얼굴이 보였다. 여자는 피가 가득 고인 바닥에 등을 대고 누워 있었고, 칼날이 15cm쯤 되는 사냥용 칼이 붉게 얼룩진 채 여자 옆 피 웅덩이에 놓여 있었다. 여자는 키가 크고 날씬했고, 머리색은 어두웠고, 드레스는 초록색이었다. 얼굴과 몸이 모두 난도질 되어 그 이상 알아볼 수 있는 것은 없었다.

스페이드가 짧게 숨을 내쉬었다. 그의 얼굴에서 표정이 사라졌지만, 황회색 눈의 기민함은 살아 있었다. 그는 왼손을 펴 문에 대고 천천히 뒤로 젖혔다. 몸에서 살짝 떨어진, 그의 오른손 손가락들이 마치 공을 쥔 듯 구부러져 있었다. 그는 자신이 서 있는 1층 복도의 오른쪽, 왼쪽, 위, 아래를 빠르게 훑어보았고, 이어 자신이 서 있는 자리에서 보이는 문 안쪽을 살펴보았다.

방은 넓었고, 한쪽 벽의 여닫이문이 열려 있어 문 안팎의 두 방이 기다란 하나의 방처럼 보였다. 회색과 검은색이 주를 이루었고, 현대적 디자인의 가구들은 새로 들인 티가 역력했다.

스페이드는 죽은 여자를 피해, 바닥의 피를 밟지 않으려 노력하며, 안으로 들어갔고, 옆방에서 연한 회색 전화기를 보았다. 그는 샌프란시스코 경찰청에 전화를 걸어 살인 수사팀의 던디 경위를 찾았다. 스페이드가 말했다.

"안녕하세요, 던디. 샘 스페이드입니다. 그린 거리 1950번지에 있는데요. 살해된 여자가 있습니다."

그는 말없이 들었다. "그냥 하는 말이 아니고요. 아주 햄버거를 만들어놨습니다, 예." 그는 전화기를 내려놓고 담배를 말았다.

* * *

던디 경위가 짤막하고, 단단한 몸을 시체에서 돌리며
스페이드에게 말했다. "뭐지, 이건?"
던디와 함께 온 체구가 작은 남자와 체구가 아주 큰 남자가
몸을 숙이고 죽은 여자를 살펴보고 있었다. 제복을 입은
경찰관 한 명이 앞쪽 창 옆에 차려 자세로 서 있었다.
스페이드가 말했다. "그게, 아르헨티나 영사가, 가족이
찾는다나 뭐라나, 테레사 몬카다라는 여자를 찾아달라고
날 고용했습니다." 그는 죽은 여자를 턱으로 가리켰다.
"찾은 것 같고요."
"이 여자가 맞아?"
스페이드는 경사진 굵은 어깨를 살짝 움직였다. "남은
모습은 그쪽에서 준 사진이나 설명과 맞아떨어져요.
영사관에 그 여자를 아는 사람이 있습니다. 전화해서
여기로 오라고 했어요. 아마도," 그는 죽은 여자를
살펴보던 남자들이 일어서자 말을 멈추었다.
짙은 피부색에 갸름하고 지적인 얼굴의 체구가 작은
남자가 파란 테두리가 둘린 손수건으로 두 손을 조심스레
닦고 말했다. "1시간 전에 살해된 것 같습니다. 이
칼로요."
던디가 끄덕였다. "자네가 발견했나?" 그는 스페이드에게
물었다.
"네. 출입문이 열려 있어서, 초인종을 눌러도 대답이

120

없길래 들어와서 확인해보니 이 상태였습니다. 다른 사람은 없었고. 건물 전체에 사람이 없는 것 같아요. 위층에 있는 두 집 초인종도 눌러봤는데, 대답이 없었어요. 그리고 하나 더, 의자 위에 있는 여자의 모자와 코트 말고는 여기 옷이 하나도 없고, 여자의 핸드백 안에는 20달러, 립스틱, 파우더 같은 것밖에 없어요. 여기까지입니다."

짧게 다듬은 희끗희끗한 콧수염 밑으로 던디의 입술이 움직였다. 그가 말을 꺼내려는 순간 챙이 넓은 검은 모자를 쓴 허연 얼굴의 남자가 문틈으로 고개를 내밀고 말했다.

"산체스 코르네호라는 사람이 스페이드를 보러 왔다고 합니다."

"영사관에서 온 사람입니다." 스페이드가 던디에게 말했다.

"들여보내."

문에 서 있던 남자가 옆으로 비키며 뒤에 있는 누군가에게 말했다. "자, 이쪽으로."

키가 아주 크고, 아주 마른 청년이 문안으로 들어섰다. 가운데 가르마를 탄 윤기나는 검은 머리카락이 약간 작은 머리를 따라 매끄럽게 빗질 되어 있었다. 그의 얼굴은 길고 피부색이 짙었고, 눈은 크고 눈동자 색이 짙었다. 짙은 색 옷을 입었고, 검은 중산모와 짙은 색 지팡이를 손에 쥐고 있었다.

그는 바닥에 있는 여자를 보고 지팡이를 떨어뜨렸고, 눈동자를 둘러싼 흰자위가 전부 보일 만큼 눈을 커다랗게 떴으며, 얼굴에서 핏기가 사라져 칙칙한 누런빛이 되었다. "오, 이런!" 그는 여자 옆에 한쪽 무릎을 꿇고 앉았다. 혼자 무언가 중얼거리고는 다시 일어섰다. 얼굴색이 돌아오기 시작했다. 그는 몸을 숙여 지팡이를 집어 들었다.

그를 의심스럽게 쏘아보던 던디가 물었다. "당신이 산체스 코르네호입니까?"

코르네호는 자신의 이름을 말하는 경위의 발음에 당황한 듯 살짝 주춤하고는 대답했다. "네, 맞습니다."

"테레사 몬카다를 아십니까?"

코르네호는 떨기 시작했다. 입을 뗐지만, 아무 소리도 나오지 않았다. 그는 고개를 끄덕여 대답했다.

"이 여자가 맞아요?"

코르네호는 다시 지팡이를 놓쳤고, 지팡이가 소리를 내며 바닥에 떨어지자 불안한 듯 화들짝 놀랐다. 그의 짙은 두 눈이 혼란스러움으로 커졌다. "예, 예, 그렇습니다." 그가 말을 더듬었다. "그럼요."

"확실해요?"

피부색이 짙은 청년은 침착함을 되찾았다. "네, 그렇습니다." 그가 강하게 말했다.

"알겠습니다. 안쪽으로 가시죠." 던디는 앞장서 옆방으로 갔다. 그가 뭉툭한 손으로 금속 의자를 가리켰고, 청년이 앉았다. "이제 알고 있는 걸 이야기해보시죠."

코르네호는 탐정을 바라보았다. "무슨 말씀인지 모르겠습니다."

스페이드는 코르네호 옆에 있는 탁자 모서리에 앉았다. "여자에 관해 알고 있는 거 말입니다." 그가 설명했다. "저는 샘 스페이드, 사립 탐정입니다. 그쪽 영사인 나바레테 씨가 여자를 찾아달라고 의뢰했고, 당신이

그녀를 안다고 하더군요. 그래서 내가 여기까지 왔고,
당신에게 전화하게 된 거죠."

청년은 여러 번 끄덕였다. "이해했습니다. 나바레테
씨가 친절히 말씀해주셨어요." 그는 던디를 보며 미소
지었다. "바로 알아듣지 못해 죄송합니다. 제가 아는 건 다
말씀드리겠습니다."

"알겠습니다." 던디의 얼굴과 목소리는 청년의 미소에
아무 반응도 보이지 않았다. "한번 해보시죠."

코르네호는 입술에 침을 바르고 거북하게 경위를
바라보았다.

스페이드의 태도는 보다 상냥했다. "언제부터 그녀와
알고 지냈습니까?"

"3년 됐습니다. 3년 전 부에노스아이레스에 있는,
그녀의 삼촌이자 보호자이자 의사인, 펠릭스 아야 데 라
토레의 집에서 처음 만났지만, 거의 1년 반 동안 본 적이
없었습니다." 그는 침을 삼켰다. "오늘까지는요."

"고아였나요?"

"네. 아마 아르헨티나에서 두 번째로 돈이 많은 여자일
겁니다." 그는 진지하게 얼굴을 찡그렸다. "그래서 삼촌이
그렇게 걱정을 하고, 찾으려고 애를 쓰는 거죠. 그게, 사실
그녀는 삼촌을 별로 좋아하지 않았습니다. 아마도 너무
과한 보호가 싫었을 거예요. 그래서 지난 8월, 21번째
생일에 재산 소유권을 갖고 자유를 누릴 수 있게 되자, 집을
떠났습니다."

"여기로 온 겁니까?" 던디가 물었다.

"미국이요? 아니요. 바로 온 건 아니었어요. 그녀의 삼촌은

그녀가 혼자 안전히 지내기에는 너무 어리고 경험도 없고
또 돈이 너무 많다고 생각해서, 본인이 반대하더라도
계속해서 보호하는 것이 자신의 의무라고 여겼습니다.”
코르네호는 어깨를 으쓱했다. “말씀드렸다시피, 그녀는
그런 태도를 몹시 싫어했습니다. 지난달 먼 사촌인 카밀라
세로와 함께 사라져 여기로 왔고, 가명을 쓴 것 같더군요.”
스페이드가 끄덕였다. “이 집은 텔마 마그닌이라는
이름으로 임차했습니다.”

“그래?” 던디가 말했다. “자, 코르네호, 아니, 이름이 뭐든
간에, 누가 죽인 겁니까?”

청년의 목소리와 두 눈은 차분했다. “저는 모릅니다.”

“그럴 만한 사람이 누가 있죠?”

“모릅니다.”

“여자의 돈은 누가 갖게 됩니까?”

“무슨 말씀이시죠?”

“상속자가 누구죠?” 스페이드가 설명해주었다.

“아! 모릅니다. 삼촌과 삼촌의 아들들인 페데리코와
빅토르가 가장 가까운 친척이긴 한데, 유언장이 있을
겁니다. 그렇겠죠.”

던디가 스페이드를 보며 얼굴을 찌푸렸다. “어떻게
생각하나?”

“아직 모르죠.”

던디는 생각에 잠겨 코르네호를 머리끝부터 발끝까지
천천히 뜯어보고는, 다시 스페이드를 보았다. “스페인어
쓰는 놈들 짓이라고 보면 될 것 같은데. 그놈들이 칼을
좋아하거든.” 코르네호의 얼굴이 붉어졌다. 그가

딱딱하게 말했다. "칼은 아무것도 설명해주지 않는다고
생각합니다. 그리고 저 칼은,"
스페이드가 늑대 같은 미소를 지으며 청년의 말을 끊었다.
"저 칼로 살해되었다는 걸 어떻게 아는 거죠?"
코르네호는 멍한 얼굴로 스페이드를 바라봤다.
던디가 나직이 성 내며 말했다. "됐고. 그 다른 여자, 카밀라
세로는 어떻게 생겼습니까?"스페이드가 여전히 미소를
지으며, 부드럽게 말했다. "테레사 몬카다보다 저기
바닥에 누워 있는 여자와 더 닮았겠죠."
던디가 말했다. "뭐?"
코르네호는 뭐라도 말하려는 듯 입을 벌렸지만, 아무
소리도 나오지 않았다. 그의 얼굴은 공포로 질려 있었다.
스페이드가 말했다. "두 사람이 비슷하게 생기지
않았다면, 이 자가 우리가 잘못 짚었다는 걸 알고 두 사람을
바꿔 말할 생각은 못 했을 겁니다."
말을 뱉을 수 있게 된 청년은 말을 했고, 너무 빠르게 말해
티가 거의 나지 않던 억양이 뚜렷하게 들렸다. "맞습니다.
두 사람이 비슷하게 생긴 게 맞아요. 제 말은, 그러니까
제가 착각했을 수 있어요. 살해당한 건 몬카다 양이 아니라
카밀레 세로일 거예요. 두 사람을 못 본 지 1년 반이나
돼서…."
"쯧, 쯧, 쯧." 스페이드가 나무라듯 혀를 찬 뒤 물었다.
"내가 여기를 어떻게 찾았을 것 같습니까?"
"모르겠습니다."
"당신을 미행했거든."
청년은 고개를 숙이고 망연자실하게 바닥을 바라보았다.

체격이 크고 대충 면도한 발그레한 얼굴의 폴하우스 경사가 문으로 들어섰다. "검시 끝났답니다. 더 필요하신 거 있습니까?"

던디는 코르네호를 바라보는 시선을 거두지 않았다. 입꼬리만 살짝 움직였다. "없어."

폴하우스가 문밖으로 사라졌고, 옆방에서 그의 경쾌한 목소리가 들렸다. "좋아, 치워."

[틴 하드] 1. «스페이드»,
냉혹하고 유쾌한 탐정 이야기를 모아 내며

대실 해밋은 몇몇 탐정을 창조했다. 그중 하나가 바로 이
책의 주인공 스페이드, 새뮤얼 스페이드다. 그는 우아한
영국 탐정들이 책상에 앉아 머리로 추리하는 것과 달리
거리로 나가 탐문하고, 악당과 맞서 싸운다. 그는 강하고,
활동적이며 직감을 따른다. 그러나 정의감이라고는
없으며 단지 확고한 직업윤리 의식만을 가졌을 뿐이다.
정의를 따르지도 진리를 찾지도 않는, 샌프란시스코의
범죄 정글 속에서 오직 생존만을 생각하는, 그 생존을
방해하지 않는 선에서 아주 조금 낭만적인, 탐정 스페이드.

실제로 탐정으로 일했던, 대실 해밋은 그를 두고 이렇게
말했다. "내가 함께 일했던 탐정 대부분이 되고 싶어 했고,
그중 극소수가 스스로 근접했다고 생각했던" 이상적인
탐정이라고.
이처럼 스페이드는 현실 속 실제 탐정의 모습과 그들이
되길 원하는 이상적인 모습이 적절히 섞인 인물상일
것이다.
그래서인지 스페이드는 등장 이후, 탐정의 '원형'이
되었다. 창작자들, 마이클 코넬리, 무라카미 하루키,
수 그래프턴, 레이먼드 챈들러 등의 소설가, 코엔 형제,

쿠엔틴 타란티노, 구로사와 아키라 등의 영화감독과
문화예술계의 수많은 이들에게 큰 영향을 미쳤다.
그 까닭은, 엘러리 퀸의 말대로, 대실 해밋이 '단순히
새로운 종류의 탐정 이야기가 아니라 이야기를 전하는
새로운 방식을 창조했'기 때문이다.

스페이드가 나오는 작품은 이 책에 실린 〈스페이드에게
전화한 남자〉, 〈너무 많은 자가 살아 있다〉, 〈교수형은 한
번뿐〉, 〈칼은 아무것도 설명해주지 않는다〉와 장편
〈몰타의 매〉뿐이다.
〈몰타의 매〉는 이미 널리 알려졌기에 제외하고, 우리는
국내에 아직 소개되지 않은 작품 위주로 이 책을
엮었다. 해밋의 작풍을, 하드보일드라는 장르를 가장
잘 느낄 수 있는 〈스페이드에게 전화한 남자〉, 짧은 시를
모티프로 가져온 〈너무 많은 자가 살아 있다〉, 괴짜 악당이
등장하는 〈교수형은 한 번뿐〉, 짧고 강렬한 〈칼은 아무것도
설명해주지 않는다〉이다. 특히 〈칼은 아무것도 설명해주지
않는다〉는 해밋 생전 미출간 원고이자 한글 초역으로,
해밋을 좋아하는 독자에게 커다란 즐거움을 줄 것이다.

해밋의 문체는 굉장히 건조하고, 군더더기가 없으며,
이미지적이다. 인물의 동작 하나하나, 대화, 모든 것이
영상 속에서 펼쳐지는 것처럼 표현된다. 카메라를 돌리고,
그 모든 움직임을 끊어서, 글로 표현하면 이럴까. 또한,
극 중 대화는 저속하고 빠르고 현실적이며 사건 전개는
불투명하다. 우리가 실제 살아가는 세상처럼 말이다.

하지만, 그의 작품을 '사실적'이라는 틀로만 가둘 수는
없다. 건조하고 실제적인 서술 아래에는 비정미 넘치는
낭만이 자리 잡고 있다. 그 낭만은 인간의 고독과 욕망,
삶의 비정함이 살인이나 폭력으로 표면화되는 범죄 소설
특유의 것이다. 스페이드라는 인물은 조금도 낭만적이지
않다. 건조한 스타일과 낭만적인 이야기. 이 상반된
두 요소가 만나고 부딪히는 접점에서 해밋 문학의
거부하기 어려운 매력이 발생한다. 그것은 작품 전체가
하나의 덩어리로, 매혹적이고 뿌연, 하나의 분위기로
우리에게 다가온다.
이처럼 해밋은 '미국식 하드보일드'라는, 그가 활동을
시작했던 1920년대에는 없던, 새로운 스타일을 창조했다.
그 세계는 지금 2021년에도 여전히 멋지다. 해밋의
독창적인 문학성 또한 탐정 스페이드처럼 하나의
'원형'으로 남아 있기 때문이다.

번역은 김다은, 황은영 번역가가 했다. 지금 독자가
읽기에 다소 불편할 정도까지 원문을 충실히 살리는 일에
몰두했으며 되도록 작품 속 인물의 움직임, 주고받는
대화가 실제처럼 느껴지도록 했다. 단, 남성 위주의 오래전
소설이다 보니 있는, 당시에는 전혀 그렇게 생각하지
않았을, 여성 비하 표현 등은 조금 순화했다.
《A Man Called Spade and Other Stories》. Dell, 1944. 에서
〈스페이드에게 전화한 남자〉, 〈너무 많은 자가 살아 있다〉,
〈교수형은 한 번뿐〉을, 《The Hunter: And Other Stories》.
Mysterious Press, 2013. 에서 〈칼은 아무것도 설명해주지

않는다」를 우리말로 옮겼다.

책 디자인과 표지 그림은 스페이드가 처음 등장해 활약한
1920-1930년대의 싸구려 잡지를 모티프로 삼았다.
알려져 있다시피, 해밋은 《블랙 마스크》, 《아메리칸》
같은 잡지에 작품을 실으며 작가로 성공했다.

이렇듯 우리는 이 책으로 대실 해밋의 진짜 '맛'을
전달하고자 했다. 범죄와 폭력에 맞서 발로 뛰며 싸우는,
엘러리 퀸의 말처럼 '여자에게도 남자에게도, 산
자에게도 죽은 자에게도 휘둘리지 않는' 탐정, 스페이드가
'움직이는' 세계를 독자가 함께 뛰어다니길 바란다.

린틴틴에서 발행하는 [틴 하드]는 하드보일드 문화, 예술을
다루는 시리즈로, 소설뿐만 아니라 하드보일드에서
뻗어 나와 새로운 세계를 연 다양한 분야의 작품과
모험을 담는다.

2021년 6월
린틴틴 편집부

스페이드

대실 해밋 지음. 김다은, 황은영 번역

1판 1쇄 발행일 2021년 6월 14일

한국어판 © 린틴틴. 2021.

Printed in Korea.

ISBN 979-11-973604-2-8

기획, 편집 박진홍

표지 그림 황은영

디자인 양민영

마케팅 박진홍, 김라몬

인쇄 (주)중앙문화인쇄사

펴낸 곳 린틴틴

출판 등록 번호 제2020-000038호

주소 경기도 고양시 덕양구 통일로742번길 38. D-406

www.lintintin.com

instagram @lintintin.pub

blog.naver.com/lintintin

lintintin.pub@gmail.com